C000067737

al·andalus

culturas de convivencia

Primera edición: 1987
Segunda edición: 1999
Tercera edición: 2002

© 1987 Lunwerg Editores
© del texto: Juan Vernet
© de las fotografías: los autores
Traducción: Dominic Currin

Creación, diseño y realización de Lunwerg Editores.
Reservados todos los derechos.
Prohibida la reproducción total o parcial sin la debida autorización.

ISBN: 84-7782-850-4
Depósito legal: B-21854-2002

LUNWERG EDITORES
Beethoven, 12 - 08021 BARCELONA - Tel. 93 201 59 33 - Fax 93 201 15 87
Sagasta, 27 - 28004 MADRID - Tel. 91 593 00 58 - Fax 91 593 00 70

Impreso en España

al·andalus
culturas de convivencia

Texto

Juan Vernet
Leonor Martínez Martín

Fotografías

Ramón Masats

LUNWERG
EDITORES

ولا غالب
الا الله

Índice

Introducción

El título de este libro, *Al-Andalus. El islam en España*, explica ya, de por sí, el tema que aborda, pero no define sus límites, y cualquier tema queda siempre influido en función de la maqueta y número de páginas que, a priori, el editor fija al autor. Este último –y aún con ciertas limitaciones– debe establecer la extensión de cada uno de los capítulos en que piensa desarrollar su obra y el orden y contenido de los mismos.

En nuestro caso concreto se trata de una breve historia de la España musulmana que se completa con una ilustración muy abundante. La opción elegida ha sido la de exponerla sistemática, pero elementalmente y omitir detalles, como la literatura técnica de los alfaquíes, o la tecnología, de las cuales prácticamente nada pasó a Europa directísimamente y, dentro de cada capítulo, encuadrar la materia tratada, en el siguiente orden: política, ciencias, bellas artes y literatura, dejando de lado incluso en estos apartados algunos detalles que se exponen debidamente al pie de las fotografías idóneas. Por tanto, éstas constituyen a la vez un útil complemento para el texto literario y un pretexto visual para introducir adiciones al mismo. En la transcripción de las palabras árabes hemos seguido el sistema adoptado por la Escuela de Arabistas Españoles.

Finalmente, queremos dar las gracias a la profesora titular de árabe de la Universidad de Barcelona, Dra. Leonor Martínez Martín, por haber redactado, benévolamente, diversas partes del libro y pies de fotografías, a don Mariano Alonso Burón, director del Instituto Hispano-árabe de Cultura, y a don Ignacio Vasallo, director general de Improtur por haber comprendido los puntos de vista –llamémosles científicos– de los autores.

Al-Andalus. El Islam en España

LA CONQUISTA Y EL EMIRATO DEPENDIENTE

En el siglo VI la península arábiga se hallaba ocupada por multitud de tribus, en su mayor parte politeístas, que pretendían descender de un antepasado común a cada una de ellas. Pero, a pesar de esta teórica ascendencia, no existía entre todas las de un mismo grupo un vínculo de solidaridad *(ᶜuṣba)* irrompible y, con frecuencia, tribus de una estirpe se aliaban con otras de la contraria con el fin de defender intereses de tipo económico que, en un país de las condiciones climáticas de Arabia, eran más de tipo eventual (derecho de tránsito o dominio de las rutas comerciales que unían el Índico con el Mediterráneo) que natural (producciones propias del país).

Es cierto que, con anterioridad, los árabes aparecen en los textos históricos, al menos desde la época del rey asirio Salmanasar III (m. 824 a. C.), pero en esos textos y otros posteriores, hasta el reinado de la emperatriz Zenobia (m. 274 d. C.) en Palmira, la palabra «árabe» fue sinónimo de bandolero o ladrón de caminos, significado que poco a poco fue perdiéndose hasta el punto de que sus descendientes olvidaron el sentido peyorativo de la misma y acabaron por considerar que indicaba un grupo étnico politeísta en su mayoría pero entre los cuales también se contaban individuos cristianos (monofisitas o nestorianos) y ya en época remota nadie negó al obispo de Naŷrān, Quss b. Sāᶜida, o al poeta al-Ajṭal su condición de «árabes». Sólo en el siglo XIX, y como consecuencia del colonialismo europeo y la expansión de las doctrinas darwinistas, se hizo popular la frase de «al-lugat al-ᶜarabiyya lā tataṇaṣṣara» (la lengua árabe no se cristianiza).

Sea como fuere, a mediados del siglo VI existía ya entre los pobladores de la península arábiga la noción de una unidad lingüística y étnica. La primera, y en los medios «cultos» de la época, dio desarrollo al avance y evolución de una lengua culta, una *koiné*, que perduraría durante siglos, a pesar de que junto a la misma perviviesen vivos una serie de dialectos que llevarían sus propias características a los lugares que, un siglo más tarde, iban a ser objeto de sus rapiñas y conquistas porque, de no ser así, ¿cómo explicar las diferencias entre el castellano *sandía* y el catalán *síndria* o Ambercoque y Albuquerque?

En cambio, la unión de las tribus de una y otra estirpe tuvo un carácter pasajero que se inicia –y no de modo muy estable– en el momento en que Muḥammad (Mahoma en los dialectos bereberes medievales, de donde pasó a la España cristiana), enviado por Dios para establecer primero la concordia entre los árabes y luego entre todos los hombres, sustituyó el vínculo *(ᶜaṣabiyya)* de la fraternidad de la sangre por el de la religión. Esta nueva relación de parentesco, pronto escindida por herejías y discordias políticas, se mostró eficaz durante cerca de un siglo en el que el *islām* (sumisión a Dios) construyó en beneficio propio un imperio mayor que el romano, y casi simétrico a éste, en las orillas del sur del Mediterráneo, Próximo Oriente y Asia Central.

Aclaremos aquí que antes de la predicación de Muḥammad las tribus árabes adoraban a numerosos dioses cuyo panteón se encontraba en La Meca –véase la historia novelada de los mismos en el poema *ᶜAbqar*, de Chafic Maluf (traducido al castellano por J. E. Guraieb, Córdoba, Argentina, 1969). Uno de ellos recibía el nombre de *Ilāh*, «dios», que al ser reconocido por Muḥammad y su comunidad como Dios único, recibió como prefijo el artículo determinado *al-* transformando su nombre en Allāh, «el Dios». Como el libro revelado por éste a Muḥammad, el Corán, identifica a Allāh con el Dios del Antiguo Testamento, consideramos que el nombre del mismo admitido en muchas lenguas, Alá, se utiliza de modo impropio. Allāh hay que traducirlo por Dios (con mayúscula) y no por Alá. De lo contrario, cuando se traduce al castellano un texto cualquiera, alemán, francés, etc., habría que mantener –como se fuerza al árabe– las formas originales de Gott, Dieu, etc. Y, a mayor abundamiento, recordaremos que existe un hadiz en que se pone en boca del profeta Muḥammad la oración del padrenuestro. Cuando Muḥammad (Mahoma), por motivos que no nos incumben en este momento, fue perseguido y amenazado por sus contríbulos de La Meca, los coraixíes, huyó a la ciudad de Yaṯrib (desde entonces llamada Madīnat al-Nabī, «la ciudad del Profeta», o al-Munawwara «la luminosa», o sea, la actual Medina) y se defendió con las armas de quienes con las armas le atacaban, iniciándose así el *ŷihād* o Guerra Santa que Occidente, desde la Edad Media, viene considerando como un mandamiento coránico de carácter ofensivo cuando, en rigor, los pasajes del Libro Sagrado aluden más a la legítima defensa de personas, tierras y bienes que a un ataque contra sus semejantes aunque sean de distinta religión *monoteísta*. Sea como fuere, dada la facilidad y rapidez con que podían fabricarse las armas en aquel entonces y al genio estratégico de los generales del islam, empezando por el propio Mahoma, éstos, a principios del siglo VIII ocupaban ya todas las costas del sur del Mediterráneo y veían, a quince kilómetros de distancia, la silueta de Gibraltar.

El ejército musulmán que desde el sur de la península contemplaba las costas de ésta era muy heterogéneo: la mayoría de sus hombres eran bereberes tunecinos, argelinos y marroquíes, nómadas, en general, por naturaleza, encuadrados por escasos mandos árabes y teniendo infiltrados entre sus filas a árabes religiosos que los instruían en el islam. Por otra parte –al igual como ocurrió con las campañas iniciales de Napoleón–, las continuas conquistas, al mismo tiempo que alimentaban el erario público, les permitían beneficiarse individualmente de un cuantioso botín, y los vencidos de clases humildes o ricas veían en la conversión al islam un procedimiento para escapar, los primeros a la servidumbre y los segundos a una serie de impuestos muy superiores a los que el Corán permitía. En rigor, y mil trescientos años después de los acontecimientos que narramos, nos damos cuenta de que la hacienda del nuevo imperio sólo podía funcionar mientras éste fuera lo suficientemente fuerte para continuar su expansión. Y, en el 711, aún era así.

En aquellos momentos el rey visigodo don Rodrigo estaba en campaña contra los vascones, que se negaban a reconocerle; por otra parte un grupo de señores visigodos partidarios de los descendientes del anterior rey, Witiza, e hispanorromanos –ésta es una de las últimas veces que oímos hablar de estas dos clases de cristianos peninsulares– estaban descontentos del nuevo soberano y no vacilaron en pedir auxilio al caudillo musulmán que ocupaba la orilla sur del Estrecho para sublevarse contra su nuevo señor y, una vez vencido éste, devolver a los bereberes a su patria de origen. En torno a este episodio se han tejido infinidad de leyendas: la de la Cava, la de don Oppas, la del Conde don Julián, la de la casa de los candados de Toledo... Pero sea como fuere, los musulmanes cruzaron el Estrecho. Una leyenda atribuye a Ṭāriq el haber mandado quemar las naves, como Hernán Cortés, para evitar que sus tropas retrocedieran. Entre tanto don Rodrigo, a marchas forzadas, llegaba hasta Andalucía y era vencido, y muerto, en una batalla que tradicionalmente se sitúa junto al Guadalete e historiadores más recientes proponen otros lugares: Guadarranque, lagunas de La Janda, río Barbate, etc.

Ṭāriq b. Ziyād, victorioso, se negó a entregar a los witizanos el gobierno de la península, concediéndoles únicamente los dominios de su padre y lanzándose, siguiendo las vías romanas, a la conquista de Hispania, en lo sucesivo llamada al-Andalus, término que contenía en sí un cierto valor biológico. Al-Andalus fue en lo sucesivo y en los textos árabes, el territorio dominado por los musulmanes: mayor en el siglo VIII al de la España actual (comprendía Portugal); reducido al reino de Granada en los siglos XIII-XV. Los witizanos se resignaron al nuevo estado de las cosas y sólo en Cataluña y Septimania hubo un seudoreino godo que tuvo que capitular (713).

El avance de Ṭāriq en dirección a Toledo y al Levante español fue rápido, aparte de las razones aludidas más arriba, gracias a que la cristianización de España no estaba concluida y, sobre todo, al apoyo que grupos de judíos maltratados como tales por los últimos soberanos visigodos, antisemitas, prestaron al ponerse rápidamente al lado de los recién llegados y se constituyeron en los guardianes del orden de las ciudades recién conquistadas, lo cual permitió avanzar constantemente a los invasores salvo en los casos, como en Córdoba, en que los defensores, atrincherados en una iglesia extramuros, resistieron varios meses a pesar del asedio, pues dicha iglesia se encontraba abastecida de agua a través de un conducto subterráneo (*jaṭṭāra, foggara, maŷrà*, viaje) que bajaba de la sierra. Este detalle táctico permite ver que estos viajes o minas (en Levante) eran conocidos en la península desde época romana.

El jefe natural de Ṭāriq b. Ziyād, Mūsà b. Nuṣayr, enterado de los éxitos de éste y de cómo había desobedecido sus órdenes al adentrarse en el país, reunió un ejército compuesto por (primera oleada árabe) unos dieciocho mil hombres en total, de los cuales unos doce mil eran árabes, cruzó el estrecho y avanzó sobre Toledo por Sevilla y Mérida reuniéndose en la antigua capital visigótica con su subordinado. Una serie de campañas les hicieron rápidamente dueños de toda la península y sus sucesores continuaron el avance por Septimania y Occitania hasta que fueron definitivamente detenidos por el franco Carlos Martel, en la batalla de Poitiers, quien venció a ᶜAbd al-Raḥmān al-Gāfiqī (732). Huelga decir que en el interior del territorio conquistado quedaron bastantes bolsas de cristianos que fueron sometiéndose por lo general de modo progresivo y pacífico. En otros casos, por ejemplo el del valle del Duero, caben dudas de si esas tierras quedaron deshabitadas durante mucho tiempo.

Durante los años que siguen hasta la instauración de la dinastía omeya se suceden una serie de gobernadores (valíes), nombrados indirectamente por el califa de Damasco, cuyo gobierno es una sucesión de guerras civiles por intereses tribales y venganzas; choques entre los árabes llegados en estos primeros años y llamados *baladíes* (del país), que ocupan las tierras más fértiles, y los bereberes, relegados a los altiplanos de la meseta y zonas de alta montaña; la gran sublevación jarīŷī del 740 y el hambre atroz de mediados de esta década.

La situación de al-Andalus vista por un valí medianamente ilustrado de la época en que la península dependía (teóricamente) de Oriente (711-756) debía ser muy intranquilizadora. Por un lado estaban las querellas entre los árabes yemeníes y qaysíes; entre los baladíes y los bereberes. Por otra parte, en las zonas norteñas se encontraban grupos de gentes idólatras que por el solo hecho de no haber abrazado o querer abrazar una de las religiones (cristianismo, judaísmo y mazdeísmo) toleradas por el islam, se hacían reos de la pena de muerte; luego tenía que habérselas con aquellos a los que se designaba con el nombre colectivo de *ḏimmíes o ahl al-ḏimma* los cuales, por prescipción coránica, tenían que pagar «con humildad» un tributo personal o *ŷizya* y otro territorial o *jaraŷ*. Estos tributos y la forma de pago no habían sido fijados aún de modo definitivo por los juristas musulmanes, pero en general obedecían a los esquemas del *ṣulḥ* ya que, prácticamente, los habitantes de Levante conservaban todos sus derechos, desde el de nombrar a sus autoridades hasta recaudar los impuestos, que eran transferidos sólo en la parte pactada a la hacienda pública.

Por otra parte las ciudades cercanas a los francos –Gerona y, en especial, Barcelona– si bien se encontraban bajo el dominio de los emires, éste era ejercido moderadamente pues el número de musulmanes que en ellas habitaba era escaso y la cercanía franca permitía la existencia de una «quinta columna» que enfrentaba a los partidarios de uno y otro imperio.

EL EMIRATO INDEPENDIENTE

La gran sublevación de los jariŷíes (que admitían que podía ser califa cualquier persona mientras ésta fuera creyente y honrada, y que se negaban a pagar los impuestos *no* coránicos) en el norte de África, a cuyo frente se puso Maysara, y las victorias que consiguieron rápidamente sobre los ejércitos árabes motivó que el califa Hišām enviara refuerzos hacia Marruecos al mando del qaysí Balŷ. Estas tropas, formadas principalmente por escuadrones de caballería de distintas guarniciones árabes de Siria, se dirigieron a marchas forzadas hacia Marruecos donde fueron vencidas por los bereberes y tuvieron que refugiarse en Ceuta.

Entre tanto los bereberes de Galicia, carentes de alimentos por las malas cosechas de aquellos años y descontentos con las tierras que les habían tocado en suerte en el momento de la conquista, decidieron unirse a sus hermanos de África y marcharon hacia el sur aplastando a cuantos ejércitos árabes se les opusieron, lo cual llevó al valí de al-Andalus, el yemení ᶜAbd al-Malik b. Qatan al-Fihrī, temeroso de que hubiera llegado el fin de los árabes y de que Córdoba cayera en manos de los sublevados, a pedir auxilio a Balŷ y facilitar el paso a la península a la segunda oleada árabe. Una vez en al-Andalus, Balŷ venció reiteradamente a los bereberes y asentó a sus distintos *ŷund* (ejército de un distrito territorial) en los lugares que más les apetecían. El ideario político de estas nuevas tropas era pro-omeya y muchos de ellos clientes (*mawlà* = vasallo) de ese clan coraixí.

Esta circunstancia facilitó que al ser derrocados y asesinados los omeyas por los abbasíes, uno de los prófugos de aquéllos, que había escapado a la matanza de sus consanguíneos y conseguido llegar a las costas del África del Norte, fuera invitado por sus partidarios andaluces a que pasara a la península e intentara restaurar el orden en la misma, tal vez con el propósito recóndito de a la larga derrocar a los abbasíes de Bagdad y reinstaurar el califato en su familia. El primer proyecto lo llevó a buen término; el segundo, no. Y a pesar del título califal que algún poeta o cronista áulicos le atribuyen, jamás pasó de ser un emir que gobernó la primera parcela independiente del resto del Imperio y la única que, ocho siglos más tarde, extirpó el islam de su seno.

Las crónicas le llaman ᶜAbd al-Raḥmān I al-Dājil (el inmigrado) y él, personalmente, siempre se consideró un advenedizo en al-Andalus, al igual que las palmeras que contemplaba en sus tierras y a las que dedicó un poema de excelente factura. Se proclamó independiente con el título de Emir de al-Andalus (756-788), pero no acuñó nunca –y así se continuó hasta el 929 en que su descendiente, ᶜAbd al-Raḥmān III, tomó el título califal de al-Nāṣir– moneda de oro (dinar), ya que el empleo de este metal, con tal fin, se consideraba privativo del Califa. Otro motivo plausible para no hacerlo pudo ser el económico, ya que en al-Andalus del siglo VIII, a diferencia del X, la importación de este metal desde el sur del Sahara era sumamente difícil. Por tanto el período del emirato independiente acuñó exclusivamente la plata como numerario (dirhem).

Al-Dājil, hijo de una mujer bereber del grupo de los nafza, buen hombre de armas, excelente nadador (asombra ver la cantidad de personajes históricos de estos siglos que practicaban este ejercicio) y hábil político, supo, apoyándose en la nobleza coraixí, rehacer la unidad de al-Andalus y poner freno a los avances cristianos que habían sido especialmente importantes por parte del reino de Asturias. A partir de su reinado las querellas entre qaysíes y yemeníes irán perdiendo importancia gracias al uso de la violencia y crueldad con que se reprimieron sus desmanes y del asesinato, si era posible, de sus enemigos e incluso de servidores de los que se sospechara que pudieran traicionarle.

Así supo hacer frente a un par de intentos de los abbasíes para reconquistar al-Andalus; venció a los bereberes sublevados en los alrededores de Guadalajara (= Río de las Piedras) en torno a Šaqya b. ᶜAbd al-Waḥid, de la tribu de los miknāsa, y a los yemeníes de Sevilla y mantuvo en paz, por la fuerza, a los cristianos (mozárabes) de sus territorios, a quienes confiscó iglesias y bienes sin detenerse ni ante los más notables y que más amigos habían sido de los musulmanes desde el principio de la conquista. Artobás, hijo de Witiza, y que tan bien había acogido a los sirios de Balŷ, no escapó a su espíritu de rapiña. Esta conducta motivó que muchos cristianos emigraran hacia las tierras del norte, principalmente Asturias, y contribuyeran a la repoblación del valle del Duero, transformando poco a poco el cauce de este río en una frontera muy permeable pero útil, frente a los musulmanes.

Una anécdota atribuida a aquél –alusión a que los sirios habían venido a Occidente sin sus familias pues creían que su estancia sería breve– plantea el problema de la sangre de pura estirpe árabe que llegó a la península. En realidad si se admite que los árabes vinieron a la península sin sus mujeres y en número de unos cincuenta mil, puede creerse que pronto desapareció su influencia étnica al casarse con mujeres cristianas; si su avance hacia Occidente se realizó como una migración masiva de tribus con todos sus miembros y bagajes, la pervivencia de la estirpe árabe debió ser mayor pero, a pesar de todo, se difuminaría rápidamente por los matrimonios de sus miembros con judías y cristianas. Baste recordar que dos siglos después el califa al-Ḥakam II al-Mustanṣir (961-976) tenía dificultades para saber las tribus a que pertenecían y que en plena época taifa Ibn Ḥazm de Córdoba escribiría un libro, el *Ansāb al-ᶜarab* (= linajes árabes) para conservar el recuerdo de aquellos que habían inmigrado a al-Andalus y el de sus descendientes.

El mayor peligro que amenazó a al-Dājil se le presentó de modo inesperado: una intriga urdida por los abbasíes en Aragón y Cataluña acabó interesando a Carlomagno, que seguía la política de crear marcas (estados tapón) en las fronteras de su imperio para evitar sorpresas desagradables. Por ello no le pareció descabellado apoyar una rebelión del gobernador de Zaragoza y adelantar sus líneas de defensa hasta el Ebro, creando así una Marca Hispánica de gran extensión territorial que protegería el sur de Francia por dos obstáculos naturales de primer orden: el río, primero, y luego los Pirineos.

En el 778 se pusieron en marcha dos columnas francas: una atravesó los Pirineos por Roncesvalles y otra, a través de la calzada romana que, cruzando Cataluña, conducía a Zaragoza. Sin embargo, cuando el ejército reunido apareció ante la capital de Aragón y esperaba que ésta le abriera sus puertas, ocurrió todo lo contrario: los musulmanes se negaron a cumplir lo pactado y Carlomagno, bien por haber recibido la noticia de la sublevación de los sajones o bien por no estar preparado para proceder a un sitio en regla de la gran ciudad, inició la retirada hacia Francia a través de Roncesvalles. Al cruzar el desfiladero la retaguardia del ejército, a última hora de la tarde del 15 de agosto del 778, fue atacada por sorpresa, derrotada por completo y los francos perdieron a los mejores de sus hombres, entre ellos a Rolando, duque de la Marca de Bretaña. Este, con el correr de los siglos, se transformó en la figura mítica de la *Chanson de Roland*, poesía épica que aún hoy se estudia en todos los manuales de literatura de las naciones occidentales.

Este episodio plantea dos problemas: el primero, el lugar real por el que se retiró el ejército franco y que tiende a identificarse –aunque con reservas por parte de muchos eruditos– con el actual paso de Roncesvalles. El segundo intenta identificar a los vencedores. Y aquí las discrepancias son grandes, pues el triunfo se lo atribuyen por un igual los vascos, los árabes y los gascones. Sea como fuere, el caso es que Carlomagno no volvió a confiar más en los aliados musulmanes y que cuando reanudó la formación de la Marca Hispánica procedió de modo sistemático y, avanzando paso a paso, ocupó Gerona en el 785.

Al-Dājil no reaccionó: viejo, sin problemas interiores graves, inició la construcción de nueva planta de la mezquita de Córdoba para que los musulmanes no tuvieran que compartir con los mozárabes el mismo templo, y pasó a residir sus últimos días en el palacio de la Ruzafa (el jardín) que se había hecho construir en las afueras de Córdoba.

Le sucedió su hijo Hišām I al-Riḍà (788-796) quien sofocó rápidamente la sublevación de su hermano mayor, Sulaymān, y otros brotes de violencia de distintas regiones. Pero, de hecho, pudo disfrutar de un reinado breve y tranquilo en el interior y dedicó todos sus esfuerzos a la lucha contra los cristianos y francos consiguiendo numerosas victorias, aunque ninguna definitiva. La leyenda explica su carácter piadoso debido a que el astrólogo al-Ḍabbī le había pronosticado que su reinado sería breve. Es curioso anotar que si realmente existió dicha predicción, ésta se basó en textos de la baja latinidad, «Libros de las cruces», que al-Ḍabbī estaba traduciendo al árabe por aquellos años.

Su hijo al-Ḥakam I (796-822) tuvo un reinado más largo y mucho más agitado que el de su padre puesto que si el estado creado por al-Dājil había remansado muchas de las causas de inestabilidad de la época del emirato dependiente, la dinámica de ese mismo estado creaba nuevas fuerzas que desequilibraban el platillo de la balanza. Estas, fundamentalmente, eran dos: el nacimiento de una nueva clase, la de los muladíes o descendientes de cristianos convertidos al islam y el aumento de la jurisprudencia, según surgían casos no previstos en el Corán, que forzaban a los alfaquíes a resolverlos recurriendo a los hadices y a la analogía *(qiyās)*. Pero, evidentemente, esto llevaba a una elaboración personal *(iŷtihād)* según el raciocinio *(ray')* de cada uno que podía no coincidir con los de otros colegas y de aquí la animadversión entre ellos que trascendía a la calle en un momento en que aún –faltaba poco– no se habían establecido firmemente los cuatro ritos *(maḏhab)* ortodoxos.

Como era habitual, el nuevo reinado empezó con una serie de sublevaciones en las tres fronteras (superior, con Zaragoza; media, con Toledo, e inferior, con Mérida) en que los musulmanes dividían sus *limes* con los cristianos. Al-Ḥakam las sofocó con dureza recurriendo a los distintos cuerpos de ejército de que disponía y en los que, de modo continuo, aumentaban los mudos *(jurs)* llamados así por ser extranjeros que no sabían el árabe y formaban su escolta personal, muladíes, mozárabes, eslavos, etc. La represión en Toledo fue ejemplar y ha sido empleada con una cierta asiduidad por los árabes a lo largo de la Historia. Sofocado el alzamiento por ʿAmrūs b. Yūsuf, éste invita a los nobles de la ciudad a asistir a un banquete en honor al príncipe ʿAbd al-Raḥmān y conforme van entrando en el palacio van siendo ejecutados y arrojados sus cadáveres a un foso excavado exclusivamente con este fin. Este acto recibe en las crónicas árabes el apelativo de «El día del Foso» *(waqʿat al-hufra),* del mismo modo que el «Día del Arrabal» alude a los hechos acaecidos en Córdoba el 25 de marzo del 818 y da el apodo de «al-Rabaḍī» con que se designa a este emir.

Al-Ḥakam era –según el parecer de los alfaquíes malekíes, o sea, que seguían las doctrinas jurídicas del oriental Malik b. Anas– poco piadoso; para el pueblo bajo y los muladíes se trataba de un tirano que aumentaba de modo continuo los impuestos y además encargaba del cobro de éstos a quien le parecía, fuera o no musulmán, y, a mayor abundamiento, obraba de modo parecido en el ejército. Un incidente provocado por un «mudo» dio lugar a la sublevación del arrabal de Córdoba cuyos habitantes se lanzaron, azuzados por los alfaquíes, al asalto de palacio para dar muerte al emir. Pero éste, buen estratega, salió vencedor, mandó saquear el arrabal y crucificar a trescientos notables cordobeses. La masa fue expulsada de España y tras múltiples aventuras por el Mediterráneo, terminó arrebatando Creta a los bizantinos (827) y creando en esa isla un estado que se mantuvo independiente durante cerca de cien años.

Sin embargo, los dos máximos culpables, los alfaquíes más importantes, escaparon al castigo y es aproximadamente desde este momento en que los políticos y los clérigos (apuntemos

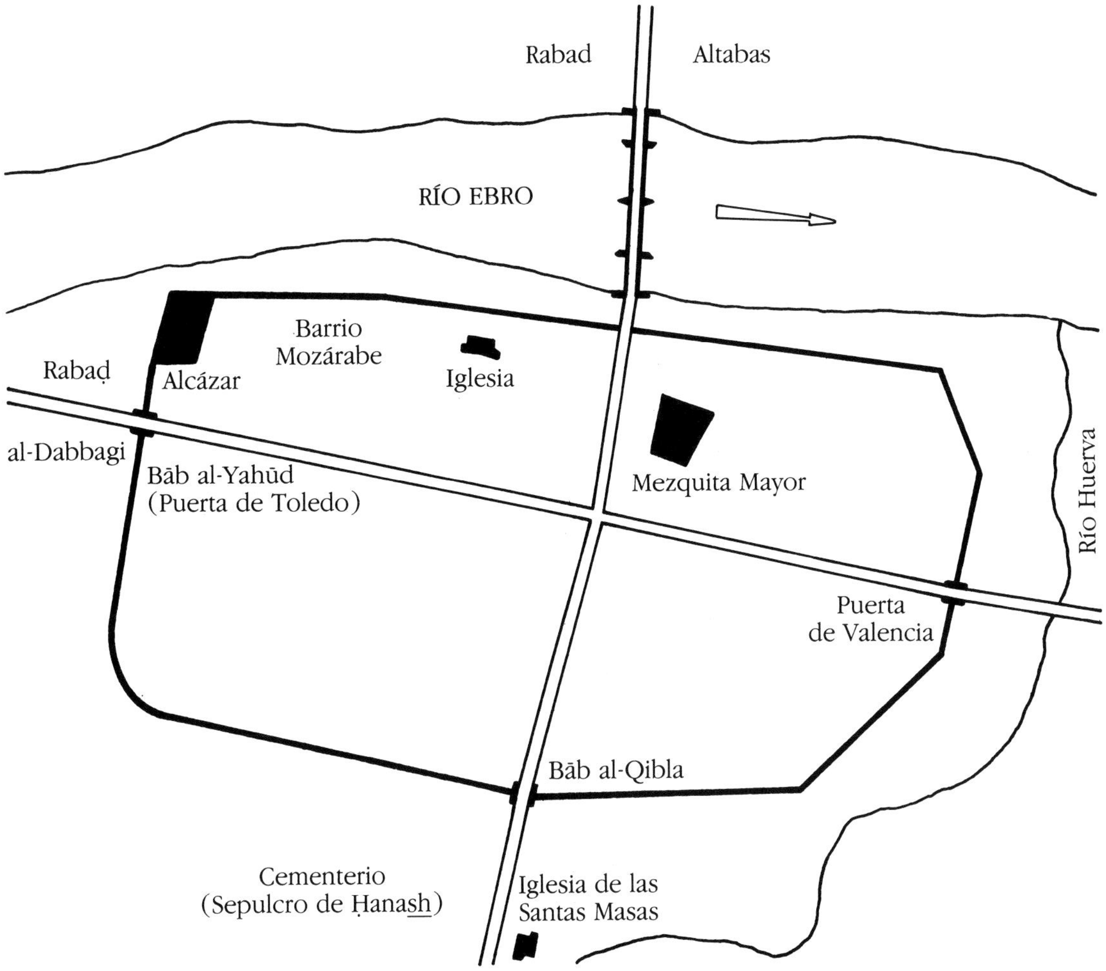

Zaragoza. Plano esquemático de la ciudad con su cementerio musulmán.

que en el islam no existe sacerdocio en el sentido cristiano de esta palabra) empezaron a aprender a convivir y a prestarse mutuo apoyo en los casos en que uno u otro poder se viera amenazado.

La dureza del reinado de al-Ḥakam I permitió vivir en una relativa paz interna a su hijo y sucesor, ʿAbd al-Raḥmān II al-Awsaṭ (822-852) y en consecuencia organizar administrativamente sus dominios, proteger la cultura y poner a al-Andalus a un nivel comparable al de los abbasíes, cuyas costumbres e instituciones imitó.

Políticamente, el reinado se inició con sublevaciones y algazúas en las fronteras que se fueron desplazando desde los extremos de al-Andalus (Asturias, Cataluña) hacia el centro de la península, en la zona occidental de Aragón y Ṭoledo. Nuevos documentos confirman la sublevación de Aizón en la Cataluña interior con lo cual, hasta cerca del 830, gran parte del *limes* con los cristianos está prácticamente en armas y lugares de Levante, como los antiguos dominios de Tudmir, en los que, en general, había reinado la calma, se inquietan y para dominarlos el emir fundó la ciudad de Murcia (831), mientras que en el extremo occidental levantaba la alcazaba de Mérida. Una cierta calma en los años siguientes permitieron enviar aceifas de castigo contra los estados cristianos vecinos y, lo que es más, plantear una política internacional de altos vuelos: la alianza con Bizancio. Iniciadas las negociaciones por el emperador Teófilo, éstas fueron atendidas, al menos diplomáticamente, enviando (840) a Constantinopla al poeta Yaḥyà al-Gazal cuyos versos, vida novelesca y viajes conocemos hoy con bastante detalle.

Entre tanto los descendientes del conde visigodo converso Casius, que ya había dado que hablar bajo el reinado de Hišām I, se mostraban inquietos en sus dominios aragoneses y uno de ellos, Mūsà b. Mūsà (= Muza II), que tenía vínculos de parentesco con los vascos de Pamplona (era hermano uterino de Iñigo Arista), aspiraba, con base en Tudela, a convertirse en el «tercer rey de España» con la ayuda de los reinos cristianos del Pirineo. Derrotado él y sus aliados por ʿAbd al-Raḥmān II, cuyas tropas tomaron Pamplona, no le quedó más remedio que someterse justo en el momento en que un nuevo enemigo amenazaba a al-Andalus: los normandos *(urdumaniyyun)* llamados también en las crónicas árabes *mayūs* (adoradores del fuego).

Capitel cordobés, siglo IX.
Museo Arqueológico, Madrid.

Estos, avanzando hacia el sur más de lo que tenían por costumbre, saquearon Lisboa y remontando con sus buques el Guadalquivir, saquearon Sevilla. El emir reunió todas sus tropas, pidió a Mūsà b. Mūsà que acudiera con refuerzos y todos ellos, al mando del eunuco favorito de ʿAbd al-Raḥmān II, Naṣr, destrozaron a los invasores en Tablada y les pusieron a la fuga. Tradicionalmente se dice que los *mayūs* prisioneros se convirtieron en bloque al islam (de no hacerlo, como eran politeístas, hubieran sido ejecutados) y se instalaron en las cercanías del Guadalquivir dedicándose al pastoreo y a las industrias derivadas de la leche que obtenían de su ganado.

Hacia el fin de la vida se le plantearon al emir nuevos problemas por parte de los mozárabes de Córdoba y Toledo. Si bien es verdad que muchos de éstos continuaban siendo buenos cristianos, culturalmente se habían arabizado y adoptaban las costumbres, literatura, etc. de sus dominadores con lo cual eran mal vistos por sus correligionarios integristas. A su frente se pusieron Álvaro de Córdoba y Eulogio quienes intentaron defender la cultura isidoriana propia frente a la infiltración, en sus filas, de la musulmana, aunque ésta no afectara a su religión, pues no en vano el Corán dice (5, 85/82): «En los judíos y en quienes asocian [politeístas] encontrarás la más violenta enemistad para quienes creen. En quienes dicen: "Nosotros somos cristianos", encontrarás los más próximos al amor, para quienes creen, y eso porque entre ellos hay sacerdotes y monjes y no se enorgullecen» (86/83) «Cuando oyen lo que se hizo descender al Enviado, *Mahoma*, ves a sus ojos derramar lágrimas, porque saben la verdad. Dicen: "Señor nuestro, creemos; inscríbenos con los testimonios"». Es decir, el Libro Sagrado musulmán establece una jerarquía entre las distintas religiones en la cual la más próxima al islam es la cristiana.

La crispación de los integristas –que veían traducidos al árabe incluso los Evangelios– iba en aumento hasta que un incidente, en principio sin mayor trascendencia, les llevó a provocar sistemáticamente a los musulmanes injuriando públicamente a su profeta Muḥammad. En este momento el derecho musulmán había alcanzado ya su pleno desarrollo y todo el mundo sabía que este tipo de injurias –salvo que fueran pronunciadas por un loco manifiesto o por alguien que temporalmente no estuviera en uso de sus facultades mentales– llevaba aparejada la pena de muerte. Así las cosas, en una conversación amistosa entre un grupo de musulmanes y el sacerdote Perfecto, sobre los méritos respectivos de Jesús y Muḥammad, éste fue injuriado por el cristiano –¡cuánta razón tiene el Corán al rechazar toda clase de polémicas religiosas enseñando a convivir con adeptos a otras confesiones y dejar aquéllas para el Día del Juicio!

Así, en 16, 125/124 afirma que: «El día de la Resurrección tu Señor juzgará entre ellos acerca de lo que discrepaban».– La discusión terminó llevando a Perfecto ante el juez por los musulmanes. El funcionario buscó en toda la casuística un medio de salvarle pero el sacerdote se negó a retractarse, a reconocer que en el momento de pronunciar sus palabras se había salido de sus casillas, etc. Fue condenado a muerte y ejecutado. Pero, antes de expirar, profetizó que el eunuco Naṣr moriría antes de un año, como así ocurrió en efecto. Hoy, con nuevos documentos en la mano, podemos casi asegurar que Perfecto había oído hablar de las profecías de los astrólogos palaciegos en este sentido.

Lo peor fue que los cristianos integristas creyeron que buscando el martirio del mismo modo que lo había hecho Perfecto tenían ganado el cielo y fueron bastantes (no tantos como se afirma corrientemente) los que siguieron a éste en la muerte. El caso preocupaba ya a las autoridades de ambas religiones y el emir, que ejercía el derecho de patronato sobre la Iglesia, ordenó a uno de sus altos funcionarios cristianos, Gómez, que organizara un concilio que terminara con esta situación. Reunidos los obispos, sólo uno, Saúl, con sede en Córdoba, se opuso a las pretensiones del emir. Los demás aprobaron un texto que establecía que en lo sucesivo no sería considerado como mártir aquel cristiano que buscase intencionadamente la muerte. Más adelante este mismo Gómez lograría introducir el domingo como día festivo en la administración cordobesa y terminaría convirtiéndose al islam.

El sucesor de ʿAbd al-Raḥmān II, Muḥammad I (852-886), al subir al trono, encontraba ya un esbozo político para terminar con el problema mozárabe, pero en cambio no sospechaba que iba a tropezar con otro mucho más grave, el de la rebelión de los muladíes dirigida por ʿUmar b. Ḥafṣūn, que se prolongaría durante el reinado de dos de sus sucesores y que estuvo a punto de poner fin al dominio árabe de la península y que transformó a ésta en un verdadero reino de Taifas *avant la lettre* que sólo terminó unos años después de la proclamación del califato de Córdoba. De aquí que, en cierto modo, los emiratos de Muḥammad I, al-Munḏir (886-888) y ʿAbd Allāh (888-912) deban ser examinados en bloque puesto que los tres tuvieron que hacer frente, prácticamente, a los mismo problemas.

En primer lugar, el martirio de los mozárabes era ya conocido en Francia, razón por la cual muchos cenobios de este reino quisieron tener los restos de estos nuevos mártires y enviaron frecuentes embajadas a Córdoba con el fin de obtenerlos, cosa que casi siempre consiguieron y creó un vínculo de comunicación entre particulares –pocas veces las relaciones fueron de tipo interestatal– a ambos lados del Pirineo.

Pero por otra parte el acceso al trono de un nuevo soberano dio lugar a la sublevación de los toledanos quienes, apoyados por Ordoño I, atacaron a Muḥammad I quién salió vencedor en la batalla de Guadacelete (854), aunque no pudo o supo explotar a fondo su victoria puesto que en la frontera superior y con base en Tudela los Banū Qasī estaban consiguiendo el dominio absoluto de Zaragoza, Huesca y la zona musulmana de Cataluña desde donde hacían contínuas incursiones hacia el interior de la Marca Hispánica, mientras que, casi simultáneamente (858), los normandos atacaban las costas levantinas y las Baleares a pesar de las dos flotas andalusíes organizadas por ʿAbd al-Raḥmān II, la del Mediterráneo con base en Pechina (Almería) y la del Atlántico en Sevilla.

Muḥammad I consiguió gozar de una relativa tranquilidad durante unos cuantos años a base de tolerar la semiindependencia de toledanos y aragoneses y los aprovechó para atacar Asturias victoriosamente con distintas aceifas. Desgraciadamente, nuevos sublevados se unieron pronto a los anteriores puesto que los muladíes ʿAbd al-Raḥmān b. Marwān el Gallego (al-Ŷilliqī) se sublevó en Mérida (868) y ʿUmar b. Ḥafṣūn, en la serranía de Ronda. Este tomó como base el castillo de Bobastro (Málaga) y durante cerca de cuarenta años hizo la vida casi imposible a los emires de Córdoba. Los últimos años del reinado constituyeron un período difícil de ser sintetizado; marcha continua de ejércitos en una u otra dirección, especialmente contra Castilla en donde el conde Diego funda la plaza de Burgos; contra Aragón y, además, contra Asturias, Extremadura y Bobastro. Cuando murió, apenas era dueño del terreno que pisaba. Su sucesor, al-Munḏir (886-888), se dio cuenta de que el mayor peligro para el estado cordobés radicaba en ʿUmar b. Ḥafṣūn y puso sitio a Bobastro. Sin embargo, lo breve de su reinado le impidió llevar a buen fin sus planes y lo mismo le ocurrió a su hermano y sucesor ʿAbd Allāh (888-912).

El principio de su reinado no pudo ser peor: ʿUmar b. Ḥafṣūn dominaba toda la costa andaluza y buena parte del interior; los muladíes de Elvira y Sevilla no paraban de causar alborotos y de considerarse independientes de Córdoba, tanto si vencían ellos o sus enemigos árabes, y cuando bien les parecía, pedían auxilio al señor de Bobastro, quien así llegó a ocupar Écija, Baena, Lucena y la fortaleza de Polei, a cincuenta kilómetros de Córdoba. Y todo esto sin contar con que todo el norte, de hecho, es independiente y los cristianos avanzan tanto en León como en Cataluña.

En el 891 ʿAbd Allāh, sacando fuerzas de flaqueza, ataca Polei y sus caballeros árabes derrotan completamente a ʿUmar b. Ḥafṣūn quien tiene que abandonar momentáneamente buena parte de sus conquistas, pero que volvería a inquietar muy pronto al emir el cual, por su parte, descubre un procedimiento «administrativo» para que en un futuro más o menos lejano se ponga fin a la crisis: va atacando sucesivamente a sus enemigos más cercanos y más débiles, a los que incorpora a sus filas y les obliga a pagar los impuestos y así, poco a poco, puede extender sus dominios y aumentar su ejército. Mientras tanto se despreocupa de lo que ocurre en las lejanas fronteras septentrionales en donde Alfonso III consolida la frontera del Duero y Wifredo el Velloso la del Llobregat-Cardener.

EL CALIFATO

Cuando muere ʿAbd Allāh le sucede su nieto ʿAbd al-Raḥmān III (912-961) que llevaba en sus venas sangre árabe y vascona. Buena mezcla para reunificar de nuevo al-Andalus y lanzar nuevas aceifas contra los cristianos del norte: en el 920 vence a los leoneses y navarros en Valdejunquera; en el 924 saqueó Pamplona; en el 928 ocupó Bobastro; en el 930, Badajoz; en el 932, Toledo y en el 937, Zaragoza.

Poco antes de conseguir la total sumisión de al-Andalus, ʿAbd al-Raḥmān III había adoptado el título de Califa y Emir de los Creyentes con el nombre de al-Nāṣir li-dīn Allāh, ya que si su dinastía hasta entonces había mantenido la ficción de la unidad de los musulmanes en torno de la dinastía abbasí de Bagdad, no tenía por qué seguir haciéndolo después de que la familia fatimí –que pretendía descender de ʿAlī, esposo de Fátima, hija de Mahoma– había podido apoderarse de Túnez, crear un vasto imperio en el África Menor atacando a muchos aliados de los omeyas y adoptar para sí tan preciado título. A partir de este momento la enemistad entre los dos califas de Occidente irá en aumento y las fuerzas de ambos se enfrentarán, por tierra, en Marruecos, y por mar, en el Mediterráneo al oeste de Malta.

Para hacer frente a estas últimas necesidades ʿAbd al-Raḥmān III fundó en Tortosa unos nuevos astilleros que se abastecían de la excelente madera de los puertos de Beceite y, como disponía de magníficos almirantes, como Ibn Rumāḥis, no sólo pudo hacer frente con éxito a la escuadra fatimí, sino fundar también una colonia musulmana en el sur de Francia, cerca del actual Toulon, con el nombre latino de Fraxinetum que ahora –con la publicación de textos inéditos del *Muqtabis*, de Ibn Ḥayyān– ha aparecido en las fuentes árabes. Desde aquí grupos de musulmanes fueron extendiéndose hacia los pasos de los Alpes y cerraron la comunicación terrestre entre Italia y Francia; durante varias décadas fueron abastecidos por la flota cordobesa que, navegando en general según la derrota de Pechina, Baleares, Fraxinetum, regresaba a su base después de saquear las costas de Cataluña. Esta, que cuando menos había tenido que sufrir una invasión húngara que llegó hasta los dominios musulmanes de Lérida, en donde fue rechazada, y soportar la presencia amenazadora ante la propia Barcelona de la flota cordobesa, no tuvo más remedio que avenirse, así como otros condados catalanes, a las condiciones que el califa le imponía para dejarla en paz y que fueron transmitidas por el célebre visir judío Ḥasdāy b. Šaprūṭ.

Es curioso notar que ʿAbd al-Raḥmān III al-Nāṣir parece haber utilizado con éxito a dos médicos como visires –embajadores: el ya citado Ḥasdāy, quien más tarde negociará con la corte de León, y a Ibn al-Bāŷ, encargado de los asuntos africanos. Al mismo tiempo sabemos que concedió ayuda técnica (envío de artesanos, instructores militares, etc.) a los príncipes marroquíes aliados suyos y, de paso, que se apoderó de Ceuta y Melilla para dominar el estrecho.

Otra consecuencia del dominio del mar fue la abundancia de esclavos de toda clase de procedencias que se encontraban en Córdoba y que, en algunos casos, como en el del judío Mošé b. Hannok –rescatado por su comunidad–, iban a tener importancia extraordinaria en el desarrollo de los estudios talmúdicos, del mismo modo que el dominio indirecto de los oasis saharianos del norte del desierto en los que desembocaban las rutas que llegaban del Sudán, iban a permitir la entrada en al-Andalus de grandes cantidades de mercancías del África negra que se unían a las que procedían de Italia vía Amalfi-Barcelona y las propias de los condados catalanes como el hierro de *farga* (herrería) de excelente calidad para la fabricación de armas. Por otro lado, el oro del Sudán iba a modificar profundamente la estructura económica europea. El comercio así iniciado ya no se interrumpió en los siglos sucesivos aunque se trasladaran los mercados europeos a las ciudades de al-Andalus especializadas en este tipo de negocios que, si en el siglo X fue Córdoba, en el XI pasó a Játiva y más adelante se concentró en ciudades cristianas.

Desde el punto de vista político ʿAbd al-Raḥmān III al-Nāṣir tuvo su último sobresalto en el 939 cuando se hartó de las incursiones incesantes de Ramiro II de León (931-951) que amenazaban seriamente sus fronteras. Para detener al leonés organizó un gran ejército que, dirigido por el propio califa, debía aplastar a aquél en una campaña que ya antes de emprenderse recibió el nombre de «el gran poder». Los detalles de la misma se conocen bien pero son tantos, y a la vez algunos tan contradictorios, que impiden tener una visión de conjunto fidedigna.

Lo que sí es seguro es que Ramiro II venció completamente al ejército cordobés en una batalla, la de Simancas, o dos, Simancas-Alhandega, teniendo que huir el califa a uña de caballo y una vez en Córdoba, y durante el resto de su reinado, no volver a exponerse personalmente nunca más a los riesgos de la guerra. Algunos detalles parecen indicar que el plan de ataque se centraba (como medio siglo más tarde hará varias veces Almanzor) en realizar una correría en sentido oeste-este a lo largo de la frontera de León y entablar combate en regla con las fuerzas cristianas si éstas presentaban resistencia, como así ocurrió; otros apuntan a la desgana con que actuaron en el combate numerosos oficiales cordobeses árabes, bereberes y eslavos: los primeros porque, tras haber sido señores independientes en sus taifas, una vez sometidos a la fuerza por ʿAbd al-Raḥmān III, se habían visto obligados a entrar en las mesnadas de éste, en las

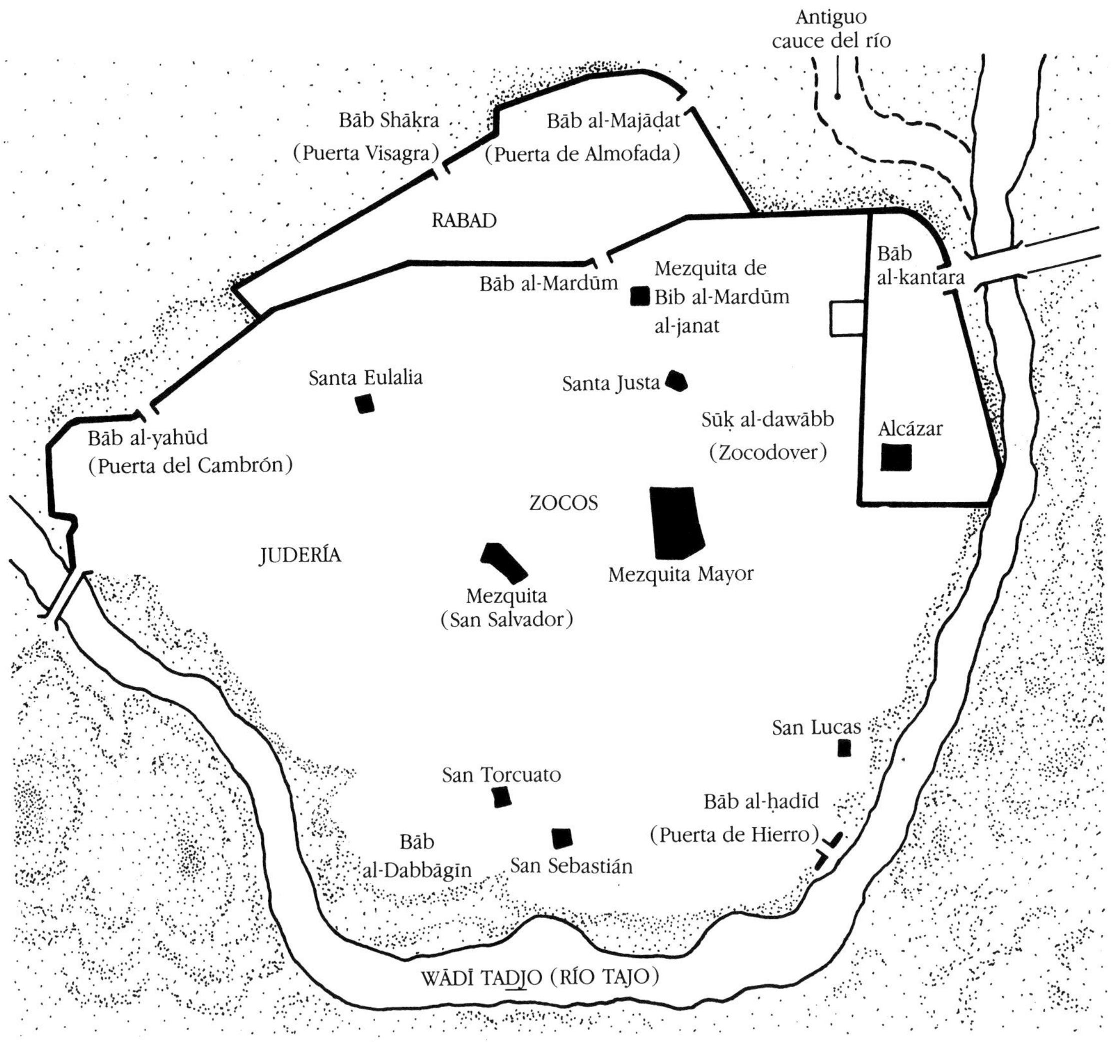

Plano esquemático de Toledo en el siglo XI.

cuales se encontraban a disgusto, además, por la prepotencia de que gozaban los oficiales eslavos. Esto explicaría la crucifixión de varios jefes una vez llegado a Córdoba el ejército derrotado. Tampoco cabe excluir la tradición de otros viejos amigos de los leoneses ni el fin –tal vez asesinato a traición– provocado por el propio califa, en plena batalla, de unos terceros que podían aún soñar con rehacer sus antiguos feudos. Sea como fuere, la batalla (o batallas) de Simancas-Alhandega, también llamada *del foso*, representó un nuevo avance de la Reconquista sobre el territorio del islam.

Avance que, a pesar de las propicias circunstancias en que se realizaba, no fue excesivamente profundo puesto que, por una parte, a la muerte de Ramiro II, una serie de desavenencias entre los reinos cristianos y la adquisición de hecho de entidad propia de uno de los condados de León, Castilla, iban a sumir a la España cristiana en una anarquía, si no igual, sí similar a la que había señoreado al-Andalus en la segunda mitad del siglo anterior. De todos estos hechos el más importante es, qué duda cabe, el nacimiento de Castilla, uno de cuyos condes, el más famoso, real y legendario, fue Fernán González (929-970) quien, de hecho, se hizo independiente de León.

Las primeras citas de esta región aparecen en los textos hacia el 850 y Oliver Asín ha intentado derivar el étimo de los *qaštāla*, tribu bereber procedente de la actual –y antigua– región oriental de Libia. Qaštāla se habría instalado en el momento de la conquista en la encrucijada de caminos que unía la cuenca del Duero con la del Ebro, en la inmediación de los dominios de los Banū Qasī, pero su situación geográfica, una vez reconquistada por Asturias, hizo que se transformase en foco de la atención de los musulmanes ante los cuales los condes «castellanos» tenían que defenderse frecuentemente y, dada la distancia que les separaba de León, con sus solas fuerzas.

Estas circunstancias hacen de nuevo a al-Nāṣir árbitro de las querellas que existían entre los reyes cristianos y con ayuda de Ḥasdāy b. Šaprūṭ les obliga a pagar tributo, a visitar Córdoba para rendirle pleitesía o solicitar su ayuda para recuperar tronos de los que han sido depuestos o someterse a tratamiento médico. Incluso soberanos tan lejanos como el alemán Otón I le envió una embajada con Juan de Gorza; los bizantinos buscaron su apoyo frente a los abbasíes de Bagdad, le remitieron manuscritos científicos latinos y griegos e incluso un monje, Nicolás, para enseñar la lengua científica griega (la comercial era sobradamente conocida en Córdoba) para que explicara la misma a los sabios cordobeses, que así tendrán acceso directo, por primera vez, a los grandes pensadores de la antigüedad.

Los grandes soberanos –dice Ibn Jaldūn– gustan inmortalizarse con grandes construcciones. Al-Nāṣir no fue una excepción y a unos kilómetros de Córdoba mandó construir una ciudad-palacio desde la cual le era posible administrar al-Andalus lejos del bullicio callejero. La nueva población recibió el nombre de al-Zahrā' en recuerdo de una concubina del monarca cuyos bienes privados había legado para el rescate de cautivos, pero que se invirtieron en esta construcción al no poder encontrar ni a un solo musulmán encerrado en mazmorras cristianas.

Le sucedió su hijo al-Ḥakam II al-Mustanṣir (961-976) cuyo reinado fue únicamente perturbado, al principio, por algunas veleidades bélicas de los cristianos, a los que rápidamente puso a raya, y las más constantes de los bereberes del norte de África apoyados por los fatimíes. Para cortar las constantes sublevaciones de éstos envió contra ellos a su mejor general, Gālib, quien iba acompañado de un experto en cuestiones financieras –más adelante excelente estratega– Abū ʿĀmir al-Maʿāfirī, que años después recibió el apodo de al-Manṣūr (Almanzor). Estos dos hombres consiguieron pacificar el norte de Marruecos y las relaciones políticas se encargaron al médico Ibn al-Bāŷ quien procuró que llegara a esta región abundante ayuda del tipo que hoy llamamos «científica y técnica» y así empezó a consolidarse una zona de seguridad omeya que, años más tarde, Almanzor transformaría en un verdadero virreinato. Desde este momento el califa, hombre pacífico, pudo disfrutar de los placeres de la erudición, reuniendo una gran biblioteca y protegiendo a los sabios más ilustres de su tiempo, fueran o no andalusíes.

Le sucedió, de derecho, su hijo Hišām al-Mu'ayyad (976-1009) pero de hecho se hizo con el poder Almanzor (976-1002) quien, muy posiblemente, era el amante de su madre, la vasca Ṣubḥ (Aurora). Pronto tomó el título de *ḥāŷib* (chambelán, primer ministro) y, a semejanza de lo que ocurría en Bagdad, dejó la ficción del poder espiritual al soberano legítimo mientras que él, tomando el título de rey, gobernaba a su antojo en al-Andalus. Una dictadura de este tipo no podía por menos de excitar la envidia de las clases sociales que hasta entonces habían gozado de una posición privilegiada y, por tanto, se pusieron en contra suya la alta aristocracia árabe, los eslavos, que habían sido los soldados preferidos desde la época de al-Nāṣir, y hasta los alfaquíes, que tenían sus razones para dudar de la piedad del dictador.

Este metió en cintura a los dos primeros grupos mediante la inmigración masiva de bereberes africanos, muchos de los cuales cruzaron el estrecho con sus familias y pasaron a formar parte de un ejército pagado por el erario, pero que le era decididamente adicto. A los alfaquíes y al pueblo devoto los aplacó mostrándose sumamente respetuoso con las creencias populares y sacrificando a ellas la biblioteca de al-Mustanṣir. Fue expurgada sañudamente, pero muchos libros que el vulgo consideraba herejes consiguieron escapar de la quema. Además, copió por su propia mano un ejemplar de el Corán y amplió notablemente la mezquita de Córdoba. Pero, sintiéndose a la vez soberano, quiso gozar de todos los atributos de la realeza y para ello construyó su propia capital administrativa: al-Zāhira.

Como conocía bien la política africana pudo mantener casi siempre la paz en la zona marroquí, aunque haya que reconocer que buena parte de este éxito se debió a que los fatimíes habían conseguido –¡al fin!– sus deseos: conquistar Egipto. En los últimos años de su vida ejerció un control directo de la zona y Fez se transformó en la capital de los dominios omeyas. Los reinos cristianos del norte, a pesar de las profundas discrepancias que les separaban, se mostraban cada vez más díscolos y no dejaban de incordiar en las fronteras.

Para hacerles frente, Almanzor emprendió una serie de algazúas, cerca de cincuenta, que desde hace pocos años conocemos con gran detalle y que fueron de dos tipos: puntuales y contra un objetivo concreto: ocupación de Santiago de Compostela, León, Barcelona, y otras de saqueo, que muchas veces, y como había hecho años antes algún emir, consistían en una cabalgada que recorría las fronteras como una hoz cuando se siega el trigo –generalmente de oeste a este– destruyendo cuanto encontraba a su paso, apoderándose o quemando las cosechas y, si la ocasión se terciaba, haciendo incursiones hacia el interior de los dominios cristianos y apoderándose de alguna ciudad o fortaleza. La mayoría de las ciudades que ocupó no fueron repobladas con musulmanes, de aquí que muy pronto volvieran al poder de los cristianos.

En una época en que no existían los procedimientos de publicidad actuales, éstos –y aún hoy en ciertos estados y para conservar la tradición, se mantienen– estaban representados por los poetas cortesanos, equivalentes a nuestros periodistas, que cobraban su sueldo del erario público para cantar las hazañas de sus señores. En este aspecto los éxitos de las campañas de Almanzor quedaron reflejadas en numerosas casidas, entre las que descuellan las de Ibn Darrāŷ al-Qasṭallī, algunas de las cuales, prosificadas, se han injertado en las crónicas de los historiadores.

Almanzor murió al regreso de una de sus victoriosas campañas (la derrota de Calatañazor es una invención cristiana tardía) a consecuencia de un tifus o salmonellosis, no sin haber dejado escrito antes un excelente testamento político que conservamos. Fue enterrado al pie de la muralla del castillo de Medinaceli.

Hemos visto que los astrólogos tuvieron una cierta influencia política en la corte omeya. El de Almanzor, el celebérrimo Maslama de Madrid (m. c. 1007), había observado el eclipse de sol del año 1004, luego la aparición de un cometa (1006) y para terminar sabía que iba a tener lugar la conjunción de Júpiter con Saturno en el signo de la Virgen. De todos estos datos dedujo que en breve plazo estallaría una guerra civil *(fitna)*, y del último que, por ocurrir en un signo bifaz, los soberanos que gobernaran durante los mismos tendrían dos reinados distintos. Y así fue: tras un brevísimo período presidido por la figura de dos hijos de Almanzor, ʿAbd al-Malik al-Muẓaffar (1002-1008) y ʿAbd al-Raḥmān Sanchol (1008-1009) estalla la guerra civil (1009-1031) durante la cual cinco califas volvieron al poder después de haber sido depuestos una primera vez. Siglos más tarde Ibn al-Jaṭīb se hacía lenguas aún de la exactitud del pronóstico de Maslama. Y el fin de la guerra civil inauguró una nueva etapa de la historia de al-Andalus: la de los taifas.

La cultura en el período omeya tiene dos épocas fácilmente diferenciables: el de la asimilación de todos los conocimientos que llegaban a sus oídos, tanto procedentes de los mozárabes que vivían anclados en la cultura isidoriana como, ya más tarde, a partir del reinado de ʿAbd al-Raḥmān II, la de los árabes orientales que habían ya traducido del griego al árabe las principales obras científicas de la antigüedad. A los primeros conquistadores les bastó conocer, por sí mismos, las artes militares y los medios necesarios para combatir por mar y por tierra y tener una idea relativamente vaga de la evolución de la jurisprudencia musulmana que les permitiera dirimir las querellas que surgían entre ellos y cuya resolución no se encontraba explícitamente en el Corán. Los médicos, arquitectos, etc., los tomaron de entre los mozárabes vencidos. Y así sabemos cómo éstos desempeñaron un papel hegemónico en la práctica de la medicina, de la astrología, de la geografía, etc., hasta el reinado antes citado.

Fue ʿAbd al-Raḥmān II al-Awsāṭ el que, con ayuda del cantor y músico oriental Ziryāb, inició la introducción de las modas y las ciencias y técnicas orientales introducidas por viajeros, poetas y filólogos que, al realizar la peregrinación a La Meca, habían aprovechado el viaje bien para estudiar, bien para dar a conocer las excelencias de al-Andalus que pronto se transformó en tierra de refugio para los enemigos de los abbasíes. A un poeta cortesano cordobés se debe la introducción del *Bombyx mori L.* y las semillas del cabrahigo. Con el primero, al-Andalus se convertían en el primer productor de seda de Occidente; ʿAbbās b. Firnās redescubrió el modo de tallar el cristal de roca y entre todos enseñaron a los andaluces el juego del ajedrez. La medicina, en manos de los mozárabes, pasó a manos de los árabes con la llegada del médico inmigrado al-Ḥarrānī, e Ibn Firnās introdujo la prosodia de Jalīl, intentó volar, consiguiendo en esta cuestión resultados mediocres y, como buen astrólogo, fue también buen astrónomo, calculando las efemérides de los astros con las tablas del *Sind-Hind*, procedentes de Oriente, y construyendo un reloj, posiblemente anafórico, que señalaba las horas del día y de la noche, lo cual era de suma utilidad para fijar las horas de la oración, ya que los cuadrantes (o relojes) de sol, de los que conservamos fragmentariamente cinco del siglo X-XI, no podían utilizarse en todos los casos.

Por las mismas fechas debió introducirse la fabricación del papel y de los numerales llamados árabes. El primero, de origen chino, se fabricaba ya en Bagdad a principios del siglo IX y en el X en Túnez y al-Andalus, pues es en esos años cuando empieza a aparecer el apodo de al-Warrāq, el papelero, que indica bien la profesión de quienes lo llevaban, y los documentos más antiguos occidentales en los que se conservan muestras del mismo: el *Breviarium et missale mozarabicum* de Leiden y el *Glosario arabigolatino*. Los numerales árabes, que llevan consigo aneja la idea de numeración de posición, reaparecen en la Edad Media (antes y con ciertas variantes habían sido conocidos por los babilonios) en un libro del oriental al-Juwārizmī escrito alrededor del año 820. Recordemos que eran ya conocidos en la España del siglo IX y que el nombre de su autor ha dado origen a los términos *guarismo* y *algoritmo*.

Durante la excavación del foso en que debían levantarse las murallas del Madrid musulmán aparecen los primeros restos fósiles de *Elephas antiquus* encontrados en esta zona, y de unos versos hispanoárabes casi coetáneos (854), parece deducirse que la brújula de cebo era conocida en el Mediterráneo occidental.

La independencia de la cultura andalusí con respecto de la oriental se consigue con el califato, durante el cual lo foráneo y lo autóctono coexisten sin roces: sistemas de refrigeración en pleno verano utilizado en las casas nobles; juegos de luces proporcionados por piletas de mercurio; juguetes mecánicos que dejaban boquiabiertos a los cristianos del norte; parques zoológicos repletos de especies extrañas, como pájaros que hablaban, y una incipiente socialización de la farmacología y de la medicina. Todo esto era incomprensible para las mentes cristianas y judías de la época. Y mucho menos debieron comprender que un efímero califa de la época de la *fitna* creara, por primera vez en al-Andalus, y tal vez en el mundo, el Ministerio de Investigación y Sanidad.

En toda esta labor cultural desempeñó un papel de primer orden el príncipe al-Ḥakam, futuro califa con el nombre de al-Mustanṣr: es durante esta época cuando llegan a España las *Epístolas de los Hermanos de la Pureza*, que escondían en su seno un ideario šīí-fatimí pero que al mismo tiempo daban a conocer, bajo forma de enciclopedia temática, buena parte de conocimientos orientales.

Durante el período califal existió una gran tolerancia religiosa y política. Los científicos de distintas razas y religiones colaboraron estrechamente entre sí. Cronológicamente se distinguen tres momentos especialmente brillantes. El primero, presidido por el príncipe al-Ḥakam (c. 940), se caracteriza por la estancia en Córdoba del futuro obispo de Gerona, Gomar II, como representante del Conde de Barcelona. Aprovechó su residencia en la capital del califato para escribir una *Crónica de los Reyes Francos* que, vertida en resumen al árabe, se incrusta y se conserva en la obra del historiador oriental al-Masʿūdī (m. 956). Es posible que se deba a Gomar la introducción de la astronomía árabe en tierras cristianas. Paralelamente el cadí Qāsim b. Aṣbag (m. 952) traduce al árabe, ayudado por el juez de los cristianos Walīd b. Jayzurān, la *Historia* de Orosio y se redacta el *Calendario de Córdoba*, debido éste a la colaboración del médico, especialista en obstetrícia, ʿArīb b. Saʿd y el obispo Rabīʿb. Zayd. Esta obra, de la que recientemente se han descubierto nuevos manuscritos de su traducción latina *(Liber anohe)* se conserva también en el original en árabe. Los conocimientos cordobeses pronto llegan a la Marca Hispánica, en donde se construyeron distintos instrumentos astronómicos (astrolabios, cuadrantes) y se resumió en latín parte de la obra astronómica de Maslama de Madrid.

Un segundo momento queda representado por la introducción, gracias al monje Nicolás y Ḥasdāy b. Šaprūṭ, del griego como lengua científica, que permitió corregir la versión de la *Materia médica*, de Discórides, realizada por el oriental Iṣṭifan b. Basil. En esta corriente hay que introducir las figuras de los médicos Ibn Ŷulŷul y, sobre todo, de Abū-l-Qāsim al-Zahrawī (Abulcasis Alsaharavius de los latinos). Su *Enciclopedia médica* es conocida sobre todo por el tratado que dedica a la cirugía y cuya influencia en el mundo cristiano fue enorme, pero no así entre sus correligionarios, excepción hecha de Ibn al-Quff. La descripción de medicamentos muestra que realizó largos viajes y con frecuencia utilizó en sus curaciones técnicas nuevas: desde los alucinógenos para tratar a enfermos mentales hasta la invención y empleo de nuevos instrumentos quirúrgicos, tipos de sutura, descripción de enfermedades raras, como la hemofilia, etc. Describió la litotomía, amputaciones, operaciones de fístula, hernia, trepanaciones, etc. Murió en el año 1013.

Otro autor cuya actividad se inició bajo el califato y se continuó bajo los taifas es el cadí de Jaén Ibn Muʿāḏ (m. c. 1079). Escribió el primer tratado conocido de trigonometría esférica en el cual se encuentran también por primera vez una serie de teoremas que la posterioridad atribuirá –sin razón– a otros autores. Coetáneo suyo debió de ser un tal Aḥmad o Muḥammad al-Murādī, autor de un tratado sobre autómatas que fue copiado más tarde por Rabí Zag en la corte de Alfonso X. Entre los mecanismos que se encuentran en sus máquinas hay que citar la utilización de hendiduras paralelas para que por ellas puedan deslizarse vagonetas; ruedas con un número cualquiera de dientes; artificios para transformar un movimiento circular en rectilíneo (no se trata, sin embargo, del de biela manivela), ruedas locas; engranajes con dientes sólo en mitad de la rueda, etc. Las fuerzas motrices son el agua y el mercurio que se vierten con un flujo regular sobre las balanzas, cada una responsable de un movimiento determinado, abriendo y cerrando el paso del líquido motor a cada una de ellas una serie de válvulas. Cuando estas máquinas, en vez de ser juguetes, se emplean como relojes, son capaces de «dar» la hora tanto de día como de noche: son relojes anafóricos.

Las bellas artes no alcanzaron su pleno desarrollo hasta el califato. La única excepción la constituye la arquitectura, cuya práctica era de absoluta necesidad para construir las mezquitas orientadas –de aquí la necesidad de conocer también la astronomía– en dirección a La Meca. Cierto es, sin embargo, que en los primeros momentos de la conquista los musulmanes realizaron sus oraciones en iglesias –que compartían con los cristianos– y adoptaban uno de sus muros, el más próximo a la dirección que señalaba hacia Oriente, como *miḥrāh* (hornacina que indicaba la dirección de La Meca).

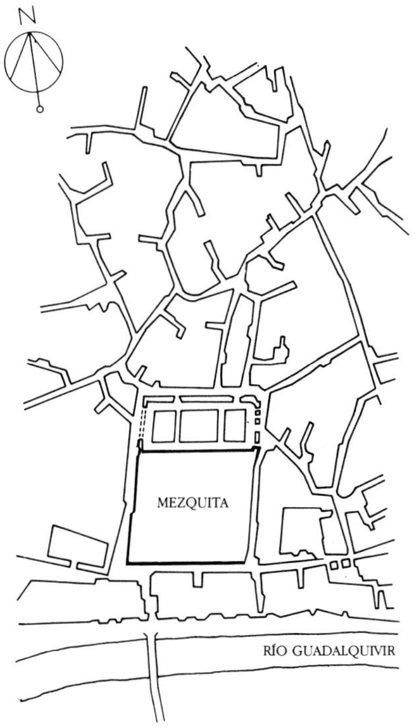

Córdoba. Plano del barrio inmediato a la mezquita.

Así, sobre la antigua iglesia cordobesa de San Vicente, que desde el 748 albergaba los dos cultos, ʿAbd al-Raḥmān I levantó, en doce meses, una nueva mezquita (785), después de comprar a los mozárabes la parte que éstos utilizaban. En el actual edificio la parte construida por ʿAbd al-Raḥmān I comprende el ángulo noroeste de la sala de plegarias. En ella se ve la influencia ejercida por la estructura basilical, debido, en parte, a haberse aprovechado la planta de una iglesia visigótica. Nos presenta un patio más reducido que los orientales, en contraste con una parte cubierta de gran desarrollo, superior, con mucho, al de las mezquitas omeyas de Siria; también el *miḥrāb* es mucho más largo. Esta mezquita tenía once naves que seguían la dirección noreste-sur, y debido al aprovechamiento que se hizo de los muros de la basílica cristiana, el *miḥrāb* se colocó orientado hacia el sur y no en el acimut de La Meca.

ʿAbd al-Raḥmān II derribó el muro sur de la alquibla a fin de prolongar las naves y con ello se desplazó el *miḥrāb* al nuevo muro; ʿAbd al-Raḥmān III al-Nāṣir mandó construir la actual fachada con arcos de herradura y pilares en el muro norte, ya que, al haber alcanzado con la anterior reforma una excesiva longitud las naves, la parte norte amenazaba con derrumbarse, puesto que estaba abierta al patio y calculada sólo para su primitiva estructura. La mayor ampliación de la mezquita tuvo lugar bajo el gobierno de al-Ḥakam II, ya que el crecimiento de Córdoba había sido tal que los fieles no cabían dentro del templo. Por ello volvió a ser derribado el muro sur y las once naves se alargaron en una extensión casi igual a la que ya tenían. La ulterior ampliación de Almanzor tuvo que cambiar la dirección, pues se había llegado a los márgenes del río; así, se vieron obligados a derribar uno de los costados, el oriental, donde se construyeron ocho naves más.

La mezquita está levantada sobre columnas provistas de capiteles que fueron aprovechados de monumentos más antiguos. Debido a la gran extensión de espacio a cubrir para lograr una mayor elevación de las naves, se colocó una doble fila de arcadas superpuestas, idea inspirada, probablemente, por los acueductos romanos. Esta influencia de los romanos podemos verla incluso en el modo cómo las arcadas están formadas por una serie de dovelas alternadas de ladrillo y piedra. Estos arcos descansan en finas columnas con lo cual el edificio parece que se abra en abanico, con un aspecto aéreo que contrapone el arte árabe español al clásico, más amazacotado y piramidal.

Sólo hacia fines del período omeya aparece el arco lobulado procedente de Oriente. También son orientales las cúpulas, generalmente de tipo persa: una red de nervaduras entrecruzadas divide y sostiene la cúpula. Las arcadas que sostienen las cuatro cúpulas están formadas por dovelas lisas y decoradas alternativamente. Aparecen los temas florales pero llevados al límite de la estilización, cosa que pasó a ser característica del arte andalusí. Por su parte al-Ḥakam II pidió al emperador de Constantinopla una serie de mosaicos que decoraban la parte por él construida y que todavía podemos ver en el *miḥrāb* y su cúpula, en la puerta que conducía al palacio y en la del imán.

Caja de San Gualdo conservada en la catedral de Braga, Portugal.

El máximo exponente de la arquitectura civil es Medina al-Zaḥrā'. La vida de esta ciudad-palacio fue corta: no llegó a un siglo pues fue destruida por los bereberes durante la *fitna* y quedó abandonada sirviendo sólo, en lo sucesivo, como fuente de aprovisionamiento de elementos decorativos que almorávides y almohades utilizaron para sus propias construcciones y que incluso trasladaron a Marruecos. La función de esta ciudad era la de albergar al califa, la corte y todos los organismos estatales: es, pues, una ciudad exclusivamente gubernamental. Las excavaciones que se realizan van confirmando progresivamente la veracidad de las maravillas que de la misma narran las crónicas. Emplazada al pie de la serranía de Córdoba, medía 1.518 metros de largo por 745 de ancho y ocupaba un total de 113 hectáreas. La formaban tres terrazas en escalón, cada una de ellas rodeada por muros flanqueados por torres que le daban una apariencia de fortaleza, si bien, en realidad, no era así. En la terraza superior se encontraba el palacio del califa y una serie de hermosos alcázares; en la intermedia se extendían frondosos jardines y un parque de animales; en la inferior, por último, se encontraban las viviendas en general, así como las de los esclavos y servidores y la mezquita mayor. Tanto ésta como la sala de recepción miraban hacia el Guadalquivir. El mármol utilizado procedía de Cartago y de Túnez y la decoración consistía en elementos geométricos bastante simples, predominando los medallones circulares y ovalados, semejantes a los que se encuentran en el arte bizantino y musulmán primitivo. La mayoría de motivos decorativos, de gran belleza, derivaban de las hojas de acanto y de la vid.

Córdoba, gracias a estas construcciones, pasó a ser una ciudad monumental en la cual se encontraba instalada una industria suntuaria de primer orden: se fabricaban cajas de marfil para guardar objetos o bien cremas de cosmética; botellitas de vidrio para perfumes; piezas de ajedrez de cristal de roca; candiles suntuosos de bronce; taraceas de todo tipo; tejidos de lujo (seda, brocado, etc.) que eran monopolio estatal y utilizados por el califa para regalarlos a los servidores de quienes estaba contento o a los grandes dignatarios del imperio o extranjeros.

TAIFAS

La guerra civil que puso fin al califato fue hábilmente azuzada por los cristianos del norte y los bereberes: catalanes, leoneses y navarros... todos echaron su suerte a espadas para aniquilar la sólida creación que era el estado cordobés. La aristocracia árabe no supo formar un frente común ante tal situación y los muladíes no contaban ya para nada. Al cabo de veinte años de luchas de todos contra todos, medio centenar de estados *taifas*– muchos de ellos más que estados eran latifundios– se repartían las tierras musulmanas y se querellaban entre sí para ensanchar sus fronteras, mientras los cristianos, aprovechándose del confusionismo imperante, avanzaban hacia el sur y, careciendo de población suficiente para adelantar sus fronteras de modo decisivo por falta de recursos humanos para colonizar más territorios, obligaban a los reyes de taifas a pagar contribuciones (parias) cada vez más onerosas.

Los estados de taifas, a su vez, se agrupaban, étnicamente, en tres grandes bloques: el árabe, que dominaba en las cuencas del Ebro y del Guadalquivir; el eslavo, que se extendía por las tierras de Levante; y bereberes que, desparramados un poco por todas partes, eran los más modestos y numerosos y fueron expoliados con bastante facilidad por sus vecinos.

Esta pléyade de soberanos, incapaces de vencer en una batalla a los cristianos, compensaban su inferioridad militar impulsando la cultura y, según sus gustos, protegían a unos u otros eruditos. En este ambiente se desarrolló el llamado movimiento *šūbī*, común a todo el mundo islámico, pero que en España alcanzó notable importancia en los estados eslavos. Los *šuʿūbíes* eran generalmente buenos musulmanes que descendían de los muladíes y se creían capitidisminuidos por no poder mostrar un árbol genealógico netamente semita. Vindicaban los méritos propios de su raza, alardeaban de nacionalistas y se enfrentaban con todas las tradiciones importadas en el transcurso de cuatro siglos y que, poco a poco, habían asimilado. El representante más típico de este movimiento, Abū ʿAmir b. García, tiene, como puede verse, un nombre que delata su origen hispano y es curioso anotar que él y sus partidarios defendieron la supremacía de los andaluces en árabe y que profesaron la religión musulmana. Se enfrentaban, pues, a los árabes utilizando dos elementos creados por éstos: la lengua y la fe.

Paralelamente a esta querella –y siguiendo el cauce abierto por san Isidoro– se inicia el desarrollo de la literatura de loores en la que los méritos de la gente de al-Andalus se contrapone a la de los africanos, en la que una ciudad andaluza se enfrenta a otra marroquí. El género así nacido conocerá un amplio desarrollo y perdurará hasta los últimos tiempos del islam andalusí, siendo sus representantes más célebres al-Šaqundī (m. 1231) e Ibn al-Jaṭīb (m. 1374).

Sevilla fue la taifa más importante y conquistó bastantes reinos bereberes y árabes, extendiéndose hacia Levante bajo la dirección de un soberano cruel y enérgico, al-Muʿtaḍid, y de un rey poeta, hijo del anterior, al-Muʿtamid. Pero a pesar de la superioridad que tenía sobre sus correligionarios, era incapaz de resistir los ataques cristianos, algo parecido a lo que en siglo XIX iba a ser Europa para el islam: quedaban cegados por el confort y la buena vida que los esclavos musulmanes, cada vez más numerosos, dadas sus constantes victorias, introducían en ellos.

Las minorías judías primero y las mozárabes después, provocaron por primera vez de modo masivo la xenofobia de los alfaquíes y de la plebe que se veía cubierta cada vez con mayores impuestos con el fin de que sus soberanos pudieran pagar las contribuciones exigidas por los cristianos. El primer chispazo de intolerancia tuvo lugar en Granada, taifa bereber que estaba en manos de los ziríes, cuyos soberanos habían confiado la administración del estado al judío Samuel b. Nagrella. Este fue sucedido en el cargo por su hijo José. Así las cosas, un poema compuesto por el alfaquí Abū Isḥāq de Elvira y dirigido contra los judíos, desató las pasiones y un verdadero *progrom*, hoy conocido en detalle por las *Memorias* del rey zirí ʿAbd Allāh (traducción castellana de Emilio García Gómez), los aniquiló o les obligó a buscar refugio entre los cristianos del norte (1066).

Los reyes taifas de Levante vivieron más tranquilos que los restantes puesto que la Reconquista fue menos activa en esta zona. A principios del siglo XI uno de ellos, Muŷāhid de Denia, logró formar una flota capaz de enfrentarse con la de las incipientes repúblicas italianas y ocupar la isla de Cerdeña.

La situación de los reinos de taifas se hizo intolerable desde el momento en que Alfonso VI subió al trono (1072). Es en su reinado cuando conscientemente empieza a considerarse al musulmán como un usurpador y enemigo de la cristiandad a quien debía devolvérsele, cuanto antes, a África. Las incursiones cristianas, cada vez más frecuentes, lograron alcanzar las mismas orillas del Estrecho y debilitar la resistencia de Toledo: esta plaza, fundamental para la defensa del Tajo, fue ocupada en 1085, al mismo tiempo que las mesnadas del Cid, al servicio de los Banū Hūd de Zaragoza, no dejaban en paz el Levante: la desesperación y la ansiedad hicieron presa del pueblo musulmán que venía siendo azuzado hábilmente por los alfaquíes, los cuales mostraban a los reyezuelos como gentes capaces de faltar a las más sagradas prescripciones de el Corán y de agobiar de impuestos ilegales a sus súbditos con tal de mantenerse en sus puestos y así poder seguir gozando de una vida de disipación y lujo. Estas acusaciones se correspondían con la realidad de los hechos y los reyezuelos, ante la presión popular, no tuvieron más remedio que implorar colectivamente el auxilio de Yūsuf b. Tašfīn, jefe de las tribus almorávides que durante siglos habían apacentado sus rebaños de camellos en el Sahara y a los que, recién convertidos al islam, una terrible sequía los había lanzado en busca de pastos sobre las dos márgenes del desierto: el Sudán y Marruecos.

El breve y anárquico período de los taifas tuvo una importancia capital para el desarrollo de la cultura de al-Andalus: muchos sabios cordobeses, hartos de la inseguridad que dominó durante la *fitna* en la ciudad, buscaron refugios más tranquilos y discípulos de Maslama, Abulcasis y otros personajes de renombre huyeron hacia Sevilla, Toledo, Zaragoza, Valencia, etc., llevándose sus libros y formaron nuevos grupos de trabajo como el de Toledo en torno al cadí Ibn Ṣāʿid. En Zaragoza un grupo de hebreos iniciaron la traducción de textos árabes a su lengua. En la misma ciudad, un discípulo de Maslama, Al-Qarmānī, introducía las *Epístolas de los Hermanos de la Pureza* y continuaba la colaboración, sin trabas, entre las gentes de la tres religiones, pues sólo a fines de siglo empieza a despertarse, en los musulmanes, una suspicacia especial hacia los *ḏimmíes*. El avance de la Reconquista despierta recelos y el alfaquí sevillano Ibn ʿAbdūn (fl. 1100) escribe que «no deben venderse ni a judíos ni a cristianos libros de ciencias, salvo los que tratan de su ley, porque después traducen los libros científicos y se los atribuyen a los suyos y a sus obispos, siendo así que se trata de obras musulmanas». El que se prohibiera vender libros implica que se vendían (no se prohibe algo que no se hace) y no parece muy atrevido pensar que los musulmanes ayudaran a leerlos, si era necesario, a sus clientes.

Este texto marca ya un cambio notable en las relaciones entre musulmanes y *d̠immíes*. Los cristianos, en lo sucesivo, al hacer mayor número de prisioneros musulmanes entre los que figuraban, como es lógico, algunos científicos y técnicos, forzaron a éstos a enseñarles los secretos recónditos de su ciencia: en el siglo XII un prisionero almeriense tiene que instruir al obispo que le capturó de sus conocimientos matemáticos; en el siglo XIII Ramón Llull estudiará con un esclavo suyo sarraceno, y así sucesivamente. En otros casos –Alfonso X el Sabio– serán los judíos y los mozárabes los que servirán –y muy voluntariamente– a realizar el trasvase cultural mientras que los musulmanes, como al-Riqūṭī, sólo lo harán momentáneamente forzados por las circunstancias.

El grupo de refugiados en Toledo se consagró en especial al estudio de la astronomía y los resultados obtenidos, tanto desde el punto de vista teórico como práctico, pueden considerarse como sensacionales e influyeron en la evolución de esta ciencia hasta Kepler. Entre ellos se distinguió Azarquiel, quien había iniciado su vida científica como simple artesano que construía los aparatos que se le encargaban. Su habilidad e inteligencia le transformaron pronto en el jefe del grupo y cuando Toledo cayó en manos cristianas continuó trabajando en Andalucía. Probablemente se le debe una serie de instrumentos de observación de los cuales conservamos bien la descripción en árabe, bien en traducción hebraica y, la mayoría de las veces, la versión castellana medieval mandada hacer por Alfonso X el Sabio en *Los libros del saber de astronomía*. En algunos casos conservamos ejemplares medievales.

El astrolabio, conocido desde mucho antes, presentaba como mínimo dos inconvenientes: la escasa aproximación dado lo exiguo de sus dimensiones y su peso, aún notorio, que le hacía poco apto para transportarlo. Para salvar el primer escollo se recurrió a la construcción de instrumentos gigantes y para el segundo se buscaron nuevos sistemas de proyección, distinguiéndose en este último campo el propio Azarquiel y su compañero ʿAlī b. Jalaf, quienes inventaron, respectivamente, la azafea y la lámina universal. Otro aparato ideado en esta época es el ecuatorio destinado a mostrar, didácticamente, el movimiento de los planetas y, a la postre, el poder conocer la posición de éstos en un momento dado sin necesidad de cálculos. Tenemos pocas descripciones y menos ejemplares del mismo pero, mientras lo contrario no se pruebe, es un invento andalusí realizado en el siglo XI o antes. En los *Libros del saber de astronomía*, que exponen el ideado por Azarquiel, se ve que en la lámina dedicada a Mercurio, el deferente de este planeta tenía forma de óvalo. Idea parecida –aunque no idéntica– a la que tuvo Kepler antes de concebir que Marte y los demás planetas giraban en torno del Sol siguiendo órbitas elípticas.

La cantidad de datos reunidos por Azarquiel fue enorme. A base de los mismos construyó las *Tablas toledanas*, precursoras de las *alfonsíes*. Aquellas estaban tan acreditadas que incluso fueron traducidas al griego –a partir del latín– alrededor del 1340.

La alquimia conoce un momento de gran esplendor. Un discípulo de Maslama –al que no hay que confundir con éste a pesar del nombre– Abū Maslama (fl. 1056) es autor de dos libros importantes. El *Gayāt al-ḥakīm (El objetivo del sabio)*, mandado traducir al castellano por Alfonso X el Sabio y retraducido al latín con el nombre de *Picatrix*, y la *Rutbat al-ḥakīm* o *Peldaño del sabio*, con el que se pretende independizar al lector de la bibliografía anterior y, sobre todo, enseñar a sus contemporáneos cómo se comportan los cuerpos metálicos, y cómo debe proceder en sus experimentos el alquimista. Describe un experimento realizado por él mismo y que presenta notorio interés. «Tomé –dice– mercurio líquido natural, libre de impurezas, y lo coloqué en un recipiente de vidrio en forma de huevo. Coloqué a éste en una cazuela (al baño maría) y puse todo el aparato a calentarse a fuego lento. Mantuve la cazuela a una temperatura suave, de modo que podía tocarla con la mano. Calenté el conjunto día y noche durante cuatro días, después de los cuales lo abrí. Vi que el mercurio, cuyo peso original era de un cuarto de libra, se había convertido por completo en un polvo rojo, suave al tacto, pero conservando el mismo peso original».

Las ciencias de la naturaleza y la medicina aparecen cultivadas en el siglo XI por discípulos de Ibn Ŷulŷul, al-Ŷabalī y Ḥasdāy b. Šaprūṭ. Descuellan Ibn al-Bagūniš (m. 1056), natural de Toledo, ciudad a la que volvió después de realizar estudios en Córdoba; Ibn al-Wāfid (m. 1074), varias de cuyas obras pasaron al latín o a lenguas romances: *Los medicamentos simples, El libro de la almohada*... la *Agricultura*. Esta última obra es importante no ya sólo por la influencia que ejerció en el Renacimiento a través

Toledo. Ruinas del Palacio de Galiana, en las Huertas del Rey. Grabado de Villa Amil.

de Gabriel de Herrera, sino porque denota la afición de los españoles de aquella época por las cosas del campo y porque a través de la misma y otras similares se puede establecer el inventario de los conocimientos agronómicos en el siglo XI. Ibn Wāfid plantó además la *Huerta del Rey* en Toledo, que se extendía por la vega entre los palacios de Galiana y el río, antes del puente de Alcántara, y en la cual se dedicó a distintos experimentos de aclimatación y, tal vez, de fecundación artificial de las palmeras que pronto fue conocida por el gran público (en la antigüedad se había practicado desde la época asiria) si hemos de creer lo que dicen los siguientes versos dirigidos por Ibn Zaydūn a al-Muʿtamid:

> *Has fecundado mi espíritu; recoge, pues, los frutos primerizos.*
> *Los frutos de la palmera son de quien la ha polinizado.*

Los tratados de agricultura, especialmente práctica, a diferencia de los de la botánica y farmacología, acostumbraban a incluir en su texto unos capítulos destinados al cuidado de las aves de corral y, en éstos, pocas veces faltaban los párrafos sobre la crianza y amaestramiento de las palomas mensajeras. Caravanas y buques las llevaban y de este modo podían transmitir a su base noticias de su situación y de las incidencias del viaje. Este sistema de correo era ya conocido en esta época en al-Andalus, pues sabemos que al-Muʿtamid, después de la batalla de Zalaca, informó a Sevilla por medio de un pichón; que al-Muʿtaṣim, cuando estaba ausente de Almería, escribía a sus mujeres utilizando el mismo sistema. Este debió estar muy extendido, pues el precio del servicio no era, por lo que sabemos, excesivamente caro.

A ibn Wāfid le sucedió en la dirección de la *Huerta del Rey*, Ibn Baṣṣāl, autor de una obra, *al-Qaṣd wa-l-Bayān*, traducida al castellano en el medioevo. Otros agrónomos como ibn Ḥaŷŷāŷ (fl. 1073) y al-Tignarī continuaron los trabajos de sus predecesores en el campo de la agronomía, y un gigantesco resumen de todos, verdadero mosaico de citas, fue redactado por Ibn al-ʿAwwām (fl. 1175) y traducido al castellano por Banqueri a principios del siglo XIX. El último epígono árabe de estos agrónomos fue el granadino Ibn Luyūn (m. 1346) que nos ha dejado un poema didáctico sobre el tema.

El arte de este período se conoce muy parcamente y las construcciones más importantes son la Aljafería de Zaragoza –que

Pila de mármol de Azahira, siglo XI. Museo Arqueológico, Madrid.

tuvo una réplica en Balaguer– y que en rigor siguen desarrollando las ideas del califato: las líneas se entrelazan más y más y se incorporan dos elementos nuevos a los ya existentes: una palma simple asimétrica y otra simétrica.

Si el desarrollo de las bellas artes nos es poco conocido en el siglo XI debido a la dispersión de los artesanos como consecuencia de la guerra civil que llevó la eboraria a Cuenca; a los talleres itinerantes de arquitectos hacia el norte, etc., conocemos en cambio muy bien la historia de la literatura de este período.

Al hablar de la época omeya apenas hemos hecho mención de la literatura arábigoespañola. No porque ésta no existiera, sino porque la altura en que estaban nuestros conocimientos sobre la misma, en lo que se refiere al período anterior al siglo X, éstos eran sumamente parciales. Conocíamos, cierto es, los versos que ocasionalmente habían improvisado los emires, pues es un tópico de los críticos literarios clásicos el de que todos los árabes saben repentizar, en verso, y la poesía pesó y pesa en la literatura árabe más que la prosa; conocíamos también unas cuantas composiciones de poetas de corte pero, en general nuestros conocimientos al respecto eran bien poca cosa –perdida como está la gran antología, *El libro de los huertos*, de Ibn Faraŷ de Jaén (m. 976)– hasta la publicación a partir de 1960, aproximadamente, de viejos manuscritos árabes. Así, varios tomos del *Muqtabis*, de Ibn Ḥayyān de Córdoba (m. 1075), nos aportan muchísimos versos de los poetas cortesanos y, sobre todo, la *Antología* del comerciante de esclavos y médico, Ibn al-Kattānī (escrito a veces Ibn al-Kinānī) nos conserva una serie de fragmentos ordenados temáticamente, de los poetas que le precedieron. Dado que murió en el año 1030 en Zaragoza, en donde se había refugiado huyendo de la *fitna,* y que su obra, *El libro de las comparaciones*, debía ser la obra de texto que obligaba a memorizar, con la música correspondiente, a sus esclavas para poderlas vender más caras, primero a los burgueses de Córdoba y luego a los señores cristianos de los estados del Pirineo, hoy estamos en condiciones inmejorables para conocer mejor a los poetas citados de paso más arriba y a otros cuyo nombre hasta desconocíamos. Confesemos sin ambages y sin sonrojo que ninguno de estos poetas ni ningún prosista cuya obra conocemos fragmentariamente, está, antes del siglo X, a la altura de sus congéneres orientales.

Una poesía árabe se llama casida y debe componerse de tres partes: memento de la amada o *nasib*, descripción de un viaje o *raḥil* y, finalmente, el elogio, *madīḥ*, o vituperio, *hiŷā'*, de la persona a quien se dedica. El *madīḥ* conseguía para el poeta un regalo; el vituperio podía llevarle a la muerte, puesto que el injuriado o calumniado lavaba de esta forma su honor *(ᶜār)*.

También estos últimos años han permitido descubrir el diván (poemario) del mayor de los poetas de al-Andalus, Ibn Darrāŷ al-Qastallī quien, como al-Kattānī, tuvo que buscar refugio en Zaragoza después de haber sido el más importante de los poetas áulicos de Almanzor. En los cargos que desempeñó tuvo que componer –como sus cofrades– numerosas poesías de circunstancias, y entre ellas descuellan y tienen un interés especial para el lector actual las dedicadas a narrar los sucesos políticos que afectaron a la España cristiana, en especial a Castilla y Cataluña que, por lo que él nos canta, se comprendían políticamente mucho mejor en el siglo XI que en el XX. Este autor, junto con al-Ramadī, al-Šarīf al-Ṭalīq, Ṣāᶜid de Bagdad, al-Muṣḥafī y varios más constituyen ya un núcleo de poetas perfectamente comparable con cualquier otro de Oriente.

Sin embargo, el máximo apogeo de la poesía andalusí tuvo lugar bajo los reyes de taifas. El grupo más importante de poetas vivía en una especie de academia situada en Sevilla y mantenida por al-Muᶜtamid, rey y poeta a la vez. Casó con Iᶜtimād porque un día en que paseaba por las orillas del Guadalquivir, ésta supo completar, antes que Ibn ᶜAmmār, amigo del príncipe, el siguiente hemistiquio:

Labra el viento en estas aguas fina malla

e Iᶜtimad, que estaba lavando la ropa de su señor, Rumayq, siguió:

Si se helase ¡qué defensa en la batalla!

El matrimonio fue feliz y, durante sus ausencias, al-Muᶜtamid recordaba constantemente a su esposa, a la que escribía billetes de amor que, a veces, alcanzaron niveles casi pornográficos. He aquí uno de ellos traducido por Saavedra conservando –hasta donde es posible– las características externas (metro, acróstico y rima) del original:

Imagen lejana y oculta a mi vista
y siempre presente del pecho en mitad.
Te envío un saludo con pena mezclado
con llantos e insomnios y fiera ansiedad.
Imperio alcanzaste do nadie lo puso,
hallásteme dócil a tu voluntad.
Mi anhelo y el tuyo son siempre uno mismo
¡Si el más codiciado se hiciera verdad!
Afirma los lazos que unidos nos tienen;
no ceda a la ausencia tu firme amistad:
Dulcísimo nombre los versos esconden
pues dicen su letra primera Itimad.

Al-Muʿtamid, vencido por los almorávides hacia el fin de su vida, fue desterrado a Agmat (Marruecos) y allí, unas veces en prisión, otras en libertad vigilada, pasó sus últimos días (m. 1095) recordando tiempos mejores y recibiendo la visita de algunos literatos que no olvidaron fácilmente la época de su mecenazgo.

En la poesía árabe son raros los poemas que aluden a un período de desgracia, por ello los de al-Muʿtamid, que en ciertos aspectos pueden compararse con los compuestos por Abū Firās al-Ḥamdānī (m. 968) durante su cautividad en Bizancio, han ocupado un lugar destacado en las antologías.

Ibn Jāqān, historiador de la literatura árabeespañola que, al igual que su colega Ibn Bassām de Santarén (m. 1147) fue casi contemporáneo de estos acontecimientos, dice que al-Muʿtamid «fue el más liberal, magnánimo y poderoso de todos los taifas de al-Andalus. Su palacio fue la posada de los peregrinos, el punto de reunión de los ingenios, el centro hacia el que se dirigían todas las esperanzas, de suerte que a ninguna otra corte de los taifas de aquella edad acudían tantos sabios y tantos poetas de primer orden».

Efectivamente, el astrónomo toledano Azarquiel se refugió en Sevilla, pero aquí también acudieron literatos como Ibn Ḥamdīs (m. 1132), autor de descripciones de palacios, y Abū-l-ʿArab (m. 1112), ambos sicilianos que huían de las conquista normanda; ahí se acogieron gentes de todo al-Andalus, como los poetas Ibn al-Labbāna de Denia, ʿAbd al-Ŷalīl de Murcia e Ibn ʿAmmār de Silves. En las restantes taifas se cultivó la poesía con menos intensidad e Ibn ʿAbdūn de Badajoz dedicó una sentida elegía a su señor el-Mutawakkil cuando éste

Sepulcro en yesería. Iglesia de San Andrés, Toledo.

fue ejecutado por los almorávides, lo cual no le impidió entrar, a continuación, al servicio de éstos.

Pero dejando aparte a Ibn Darrāŷ al-Qasṭallī y a al-Muʿtamid, tal vez el poeta que ha merecido mayor atención de los críticos es el cordobés Ibn Zaydūn (m. 1070) cuyo amor por Wallāda, princesa omeya, y poetisa, dio origen a versos de excelente factura, entre ellos los que componen la casida en *nūn* (es decir, que rima en *n*) en los que llora la ausencia de la amada:

¡Ay, qué cerca estuvimos y hoy qué lejos!
Al tiempo delicioso de las citas
La desunión durísima sucede
....

Fue tal la fama de esta composición que, parcialmente, pasó a la literatura popular y algunos de sus versos forman parte del texto actual de *Las mil y una noches*. Estos amores, desgraciados, dieron origen a una epístola que Ibn Zaydūn dirigió a su rival afortunado, Ibn ʿAbdūs, simulando que estaba escrita por Wallāda. Larguísima, en ella puso en ridículo a aquél del modo más duro de que es capaz una pluma árabe. La furia de Wallāda al conocer dicha epístola, y reconocer la pluma del autor, fue inmensa e increpó a su antiguo amante con versos extraor-

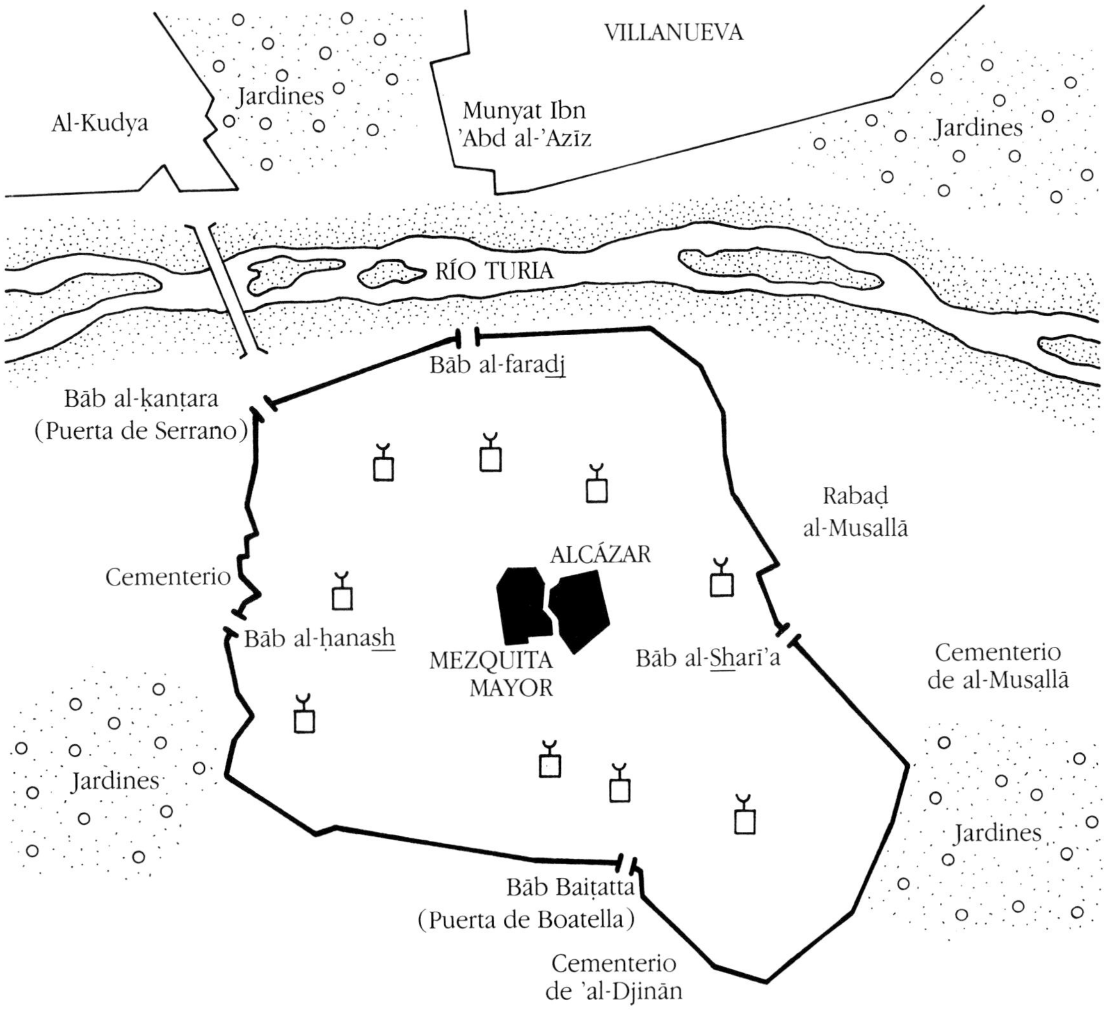

Plano esquemático de la Valencia islámica, con los cementerios en torno.

dinariamente fuertes. El poeta-periodista siguió existiendo y así Ibn ʿAssāl, cuando se perdió Toledo, recitó:

¡Andaluces! Arread vuestras monturas
El quedarse aquí es un error.
Los vestidos suelen comenzar a deshilacharse por las puntas
Pero veo que el vestido de la Península se ha roto desde el principio por el centro.

O cuando al-Waqašī escribe una elegía a la pérdida de Valencia en manos del Cid, que se conserva, traducida, en la *Crónica General:*

Valencia, Valencia, vinieron sobre ti muchos quebrantos et estas en ora de te perder
Pues si tu ventura fuer que escapes desto será grand maravilla aquien quier que te viese
Si fuer a diestro matar m'ha el aguaducho. Si fuer a siniestro, matar m'ha el león.
Si fuer adelante, morré en la mar
Si quisiere tornar atrás, quemar m'ha el fuego.

La prosa literaria es un género cultivado por los árabes bajo el nombre de *adāb* (buenas letras), pero siempre ha tenido una importancia menor que la poesía. En la época del califato destacan *El collar único*, de Ibn ʿAbd al-Rabbihi (m. 940) que es un remedo de los libros compuestos en Oriente para dar una cultura general, y el *Libro de los dictados*, del iraquí inmigrado Abū ʿAlī al-Qālī, que representó un elemento importante en la formación cultural de al-Andalus.

Tal vez el mejor prosista fuera Ibn Šuhayd (m. 1035), autor de una epístola en que se discuten los méritos literarios de los poetas y que parece ser que inspiró al casi coetáneo oriental al-Maʿarrī para escribir su celebérrima *Epístola del perdón*, en la cual, a las consideraciones puramente literarias, se añadieron otras de carácter filosófico.

La *Epístola* de Ibn Šuhayd iba dedicada a Ibn Ḥazm, jurisconsulto y polígrafo zahirí, que había concitado contra sí las iras de los alfaquíes malequíes, que llegaron a quemar públicamente sus obras, afortunadamente salvadas en otras copias. Dejando aparte sus obras técnicas como *Historia de las religiones...* primera obra cronológica científicamente hablando, en su género, y que sólo fue superada en el siglo XIX, hay que destacar *El collar de la paloma, sobre el amor y los amantes*, que ha sido traducida a todas las lenguas cultas –al castellano, por Emilio García Gómez–. Escrita en 1027, contiene un estudio del amor y de todas sus particularidades y en ella se citan por su propio nombre aquellos personajes de la corte cordobesa que, por una u otra circunstancia, tuvieron escarceos amorosos dignos de ser tipificados. En su obra, Ibn Ḥazm persigue un fin netamente moralizador y si cuenta los excesos y aberraciones del amor, es simplemente para reprenderlos al citar anécdotas que atañen a personas de alcurnia y mencionar éstas por su propio nombre, ya que eran de dominio público.

LAS INVASIONES AFRICANAS

Los almorávides habían recibido este nombre porque neófitos en el islam a principios del siglo XI habían propagado éste al sur del Sahara fundando unos conventos-fortaleza en que sus hombres, medio monjes, medio soldados, encontraron refugio. Este tipo de construcciones, llamadas en árabe *rābiṭas* (de ahí los topónimos españoles Rápita, Rábida, etc.) sirvieron para que sus ocupantes se llamaran *murābiṭ* y de aquí, almorávides. A pesar de su conversión a una fe de carácter patriarcal, ellos, tuaregs, tenían una organización social matriarcal que continuaron conservando en gran parte, lo cual explica la estructura de sus nombres propios y los topónimos, como Vinaixa (hijos de ʿĀʾiša), que dejaron en los lugares en que se instalaron y la influencia que las mujeres ejercieron –al margen del harén– en los asuntos públicos.

Su soberano, Yūsuf b. Tašfīn, requerido varias veces por los taifas, azuzados por la plebe y los alfaquíes que ya no podían pagar más impuestos para que aquéllos satisfacieran las parias exigidas por los cristianos a pesar de fabricar moneda de baja ley y de una inflación constante, decidió al fin hacer caso a sus súplicas, pasó a al-Andalus, arrebató Algeciras a al-Muʿtamid, quien cedió la plaza sin rechistar, y con una cabeza de puente ya en sus manos, marchó hacia el norte en busca del ejército castellano de Alfonso VI. Durante su avance los poetas cortesanos de Sevilla le dedicaron sus mejores ditirambos, que el buen Yūsuf no comprendía, pues apenas acababa de aprender el árabe necesario para ser un buen musulmán, y su lengua nativa era el bereber. Por tanto, y al igual que Alfonso VIII un siglo más tarde cuando escuchaba a los trovadores provenzales, sólo oía una declamación melódica que en todo momento le recordaba que esos poetas realizaban «su» trabajo para ganar el sueldo correspondiente en forma de regalos o dones.

El choque de musulmanes y cristianos tuvo lugar en Zalaca (1086). Los almorávides, vencedores gracias al empleo de una nueva estrategia que situaba al general en jefe en una colina desde la que dominaba el campo de batalla, y daba sus órdenes con redobles de tambor que, correctamente interpretados movían a sus batallones en el sentido más propicio, mientras sus soldados se protegían con escudos de ante que casi siempre rechazaban las flechas enemigas, triunfaron en toda la línea. Pero los vencedores no supieron o, mejor dicho, no quisieron sacar fruto de su victoria, puesto que en África acababa de morir uno de los hijos de Yūsuf.

Alfonso VI, malherido, tuvo que refugiarse en la plaza de Coria y salvó Toledo gracias a que a pesar de las incitaciones de los alfaquíes andaluces, la retirada almorávide hacia África fue prácticamente total y dejaron la organización de al-Andalus tal y como la habían encontrado. Gracias a estas circunstancias Alfonso VI pudo rehacerse rápidamente y desde Aledo, castillo emplazado cerca de Murcia, volvió a hostigar a los taifas. Estos, incapaces de defenderse por sí solos, tuvieron que implorar de nuevo el socorro de Yūsuf quien puso sitio a la fortaleza con escaso éxito (1088), pero los cristianos la evacuaron poco después mientras el africano empezó a despojar a los reyezuelos de sus estados y a incorporarlos a sus dominios. La reducción de impuestos, siempre medida popular, fue seguida de otras menos clamorosas: aumentó la influencia de los alfaquíes, quienes llegaron a conseguir que se quemaran públicamente las obras de Algacel (al-Gazzālī), discriminó cada vez con mayor intensidad a los mozárabes y sus generales llevaron a cabo una serie de campañas victoriosas contra los cristianos pero sin lograr ningún éxito definitivo: no pudieron evitar que en Levante el Cid ocupara Valencia y se comportara en ella como un verdadero taifa.

Su sucesor, ʿAlī (1106-1143), ve casi el fin de su dinastía: vencedor en los primeros años de su reinado, sus fuerzas fueron debilitándose rápidamente: las tribus saharianas se vieron absorbidas por la cultura superior en cuyo contacto vivían y su anulación se debe no a las espadas cristianas sino a la molicie de las ciudades andaluzas. Gracias a esto pronto surgieron unos nuevos reinos de taifas que se hicieron independientes del poder central.

En África la situación tampoco era favorable a los almorávides puesto que un bereber, el almohade Muḥammad b. Tūmart, apoyado por las tribus del Atlas, inició una sublevación contra ʿAlī. Este intentó defenderse de este cúmulo de desgracias deportando a los mozárabes a las cercanías de Salé y Mequínez (1126); reclutó tropas cristianas que al mando del conde Reverter de Barcelona hicieron frente en África al cada vez más poderoso Ibn Tūmart y en al-Andalus empleó fuerzas musulmanas que se opusieron al ímpetu cristiano cada vez con menor intensidad. Pero esta política fracasó: los cristianos, dirigidos por Alfonso el Batallador, reconquistaron la mayor parte del valle del Ebro y del Jalón y, en audaz incursión por Andalucía (1125), evacuaron hacia el norte a los mozárabes que quisieron seguirles. El castellano Alfonso VII el Emperador no dejaba títere con cabeza en la zona occidental de la península, bien directamente, bien por medio de sus vasallos musulmanes y, para colmo de desgracias, la milicia cristiana de Reverter fue vencida en África.

Todas estas circunstancias hicieron que ʿAbd al-Mu'min (1130-1163), sucesor de Ibn Tūmart, consiguiese que su autoridad fuera instaurada en África e iniciase la conquista de al-Andalus. Con él ponen pie en la península los almohades *(al-Muwaḥḥidūn)* o unitarios, así llamados por profesar una serie de doctrinas que tendían a depurar al islam de las innovaciones piadosas que se habían ido introduciendo con el correr de los siglos. Las reformas religiosas emprendidas recuerdan en más de una ocasión las realizadas por los wahhābíes siglos después y que aún perduran en la Arabia Saʿūdī: viéndose muchas veces combatidos y refrenados por las masas conducidas por santones, los almohades arremetieron contra éstos y contra los malequíes que no habían sabido poner coto al desarrollo de la mística popular; siéndoles necesario consolidar su naciente imperio, atacaron a las minorías que aún quedaban dentro de él, en especial a la única que aún vivía en al-Andalus: la judía. Esta, que había logrado escapar a las discriminaciones almorávides colmando de oro las ambiciosas manos de los jefes lamṭūnas, sucumbió a la presión almohade que le planteó el dilema de emigrar o convertirse al islam. Muchos judíos optaron por lo primero y marcharon a los estados cristianos del norte donde la escasez de población se hacía sentir de modo notable. Otros prefirieron abjurar de su fe, al menos aparentemente –tal es el caso de Maimónides– y continuar en posesión de sus bienes.

Los almohades crearon un estado homogéneo desde el punto de vista religioso, expulsaron a los normandos de las costas africanas en las que acababan de poner pie y acometieron con todas sus fuerzas a los segundos taifas andaluces, los más importantes de los cuales eran Zafadola e Ibn Martínez. Una larga serie de campañas les dio el dominio absoluto de al-Andalus –excepción hecha de las Baleares que por algunos años continuaron en poder de la familia almorávide de los Banū Gāniya– y entonces, aunando todas sus fuerzas, se lanzaron contra los cristianos más peligrosos, los castellanos de Alfonso VIII, a los que vencieron (1195) en la batalla de Alarcos (al-Arak) dirigidos por el califa Abū Yūsuf Yaʿqūb al-Manṣūr (1184-1199). Pocos años más tarde Alfonso VIII iba a tomar su desquite en las Navas de Tolosa (al-ʿIqāb, 1212) al derrotar, a su vez, al califa almohade al-Nāṣir (1199-1213).

La segunda mitad del siglo XII es el último período de gran hegemonía política del Occidente islámico: los almohades lo habían unificado por completo bajo su égida, habían creado una flota de combate capaz de enfrentarse incluso con las de las repúblicas italianas y su prestigio era tal que el mismo Saladino pidió su concurso para bloquear los puertos de Palestina que se hallaban en manos de los cruzados. Los almohades, con una clara conciencia de sus posibilidades, no se lanzaron a tal aventura y se contentaron con ser los dueños del Mediterráneo occidental cuyas entradas, Gibraltar y el canal de Sicilia, dominaban. Es curioso notar que la hegemonía que la flota de guerra almohade ejercía no era de tipo positivo, puesto que se ocupaba poco del comercio y permitía que las marinas italianas y catalana tuvieran su control. Este despego por el comercio marítimo no fue exclusivo de ellos: ʿAbd al-Raḥmān II, al-Nāṣir y más tarde Carlos III y Carlos IV siguieron la misma política. Al parecer, España, siempre que ha podido, ha mantenido fuertes escuadras de combate, peo se ha despreocupado, en cambio de la marina mercante.

La victoria de las Navas de Tolosa y la hábil política de repoblación seguida en las tierras fronterizas por el norte con Sierra Morena desde algunos decenios antes, permitieron a los ejércitos cristianos bajar definitivamente al valle del Guadalquivir y apoderarse de las mejores zonas: Jaén, Córdoba y Sevilla cayeron en sus manos y sus moradores fueron expulsados poco después. La gran sublevación de los moros de Andalucía (1263) iba a permitir expoliar a los latifundistas musulmanes que habían quedado injertados detrás de la nueva frontera y substituirlos por cristianos. Esta política, al impedir el contacto masivo entre cristianos y musulmanes, impidió la orientalización de aquéllos.

La reconquista pudo terminarse en el siglo XIII ya que la descomposición del imperio almohade impedía a los africanos acudir en auxilio de los andaluces y la potencia *ḥafṣī*, basada en Túnez, carecía de elementos suficientes para poner coto a los avances de Jaime I el Conquistador que ocupaba todo el Levante. La flota castellana atacaba las costas atlánticas de Marruecos (Salé, 1260) al mismo tiempo que la catalana yugulaba los movimientos de la tunecina. Inmovilizados así los africanos, la salvación, en el último instante, del islam andaluz se debió en buena parte a un último taifa, el nazarí Muḥammad al-Aḥmar («el Bermejo», 1231-1272) que, instalado en Granada, fue lo suficientemente hábil para declararse vasallo de los castellanos y no dar a éstos motivos de queja. Ganó así para su causa una serie de años preciosos, los suficientes para que en Castilla empezaran las discordias dinásticas y en Marruecos otros bereberes, los benimerines, se hicieran cargo del poder.

Si pasamos ya al campo de la ciencia, encontramos a un personaje de primera fila, sabio en todos los campos del conocimiento y, en algunos, un verdadero especialista. Nos referimos al zaragozano Ibn Bāŷŷa o Avempace (c. 1070-1138). Cursó estudios con los principales maestros de su ciudad y de Valencia, se entrometió en la política local en las dos primeras décadas del siglo XII y emigró luego, poco antes de la conquista cristiana, al sur de la Península y, finalmente, a Marruecos, en donde murió. Durante su azarosa vida, varias veces ministro y prisionero, conoció en Córdoba al abuelo de Averroes, que era cadí.

Prescindiendo de su importante obra filosófica, literaria y musical –parece ser que fue el inventor del zéjel– puso los fundamentos de una revolución astronómica y otra matemática. La primera, conocida y estudiada ya hace muchos años, pretendía volver a los principios ideológicos aristotélicos, que no sólo habían hecho crisis con el desarrollo del sistema tolemaico, sino que los mismos científicos musulmanes contribuían a derruir –sin decirlo jamás explícitamente– con sus modificaciones. Avempace se dio cuenta de que los epiciclos utilizados por Tolomeo destrozaban la teoría de las esferas homocéntricas o concéntricas de Aristóteles, Maimónides (m. 1204) afirmó que el empleo de excéntricas también era antinatural, pues la Tierra quedaba desplazada del centro del mismo universo y Averroes (m. 1098) subrayó que ni epiciclos ni excéntricas servían para explicar, según la filosofía aristotélica, el movimiento de los astros. Por ello *insinuó* que los movimientos directos y retrógrados de los planetas pueden explicarse mediante un movimiento helicoidal.

Todas estas críticas eran correctas pero destructivas. En cambio Ibn Ṭufayl (m. 1185) y al-Biṭrūŷī (m. c. 1230) intentaron crear un nuevo sistema del mundo. Ibn Ṭufayl fue probablemente el primer musulmán que hizo extensivas a las excéntricas las críticas que Avempace había dirigido a los epiciclos. Por su parte el *Kitāb al-hay'a (Libro de astronomía)* de al-Bitrūŷī, traducido muy pronto al latín y al hebreo, expone una teoría nueva que parece tener precedentes en la antigüedad. Es la del movimiento circular perfecto de las esferas cuyos ejes de rotación pasan por el centro del mundo formando entre sí distintos ángulos. Sin embargo el sistema no se correspondía bien con el cálculo y el mismo Averroes –su maestro– opina que sólo el tiempo y la reiteración de las observaciones y del cálculo podrán dar o no la razón a su discípulo. Pero sea cualquiera el valor astronómico que quiera darse a sus páginas, en ellas se encuentra un eslabón de cómo se transmitió hacia Occidente la idea física del *impetus* ya que Averroes pone en boca de Avempace concepciones que en realidad remontan a Juan Filopono de Alejandría y además insinúa un tratamiento dinámico del mismo que fue seguido por Gil de Roma.

Por las mismas fechas, alrededor del año 1150, el astrónomo sevillano Ŷābir b. Aflaḥ –del cual tenemos escasos detalles biográficos– escribió una *Astronomía* que fue traducida inmediatamente al latín. Algunas de sus afirmaciones, en especial las trigonométricas, se ha demostrado recientemente que no le pertenecen y que eran ya conocidas en al-Andalus en el siglo XI. Sus observaciones, resumidas en el prólogo, son más de detalle que de fondo pero no dejan de tener interés: demuestra que la esfera es el sólido que con la misma superficie tiene mayor capacidad, tratando así los problemas de isoperimetría que arrancaron de la temática expuesta por Arquímedes. Desde el punto de vista astronómico alude a una serie de defectos del *Almagesto*, ninguno substancial: el que Tolomeo no haya demostrado por qué la excentricidad de los planetas superiores se divide en dos partes iguales y el que considere a Mercurio y Venus como planetas situados debajo del Sol, cuando la paralaje demuestra que son superiores. Tiene especial interés la descripción que hace de un instrumento astronómico, el *tor-*

quetum, cuya invención se atribuye indebidamente a Regiomontano, quien fue sólo su divulgador en el mundo latino. La configuración primitiva del mismo fue transformándose de modo muy notorio, razón por la cual no coinciden todas las descripciones escritas e iconográficas con los ejemplares que conservamos.

Ya hemos dicho que Avempace fue un sabio polifacético. Estudió matemáticas con el rey al-Mu'tamin de Zaragoza (1081-1085) autor de una enciclopedia titulada *Kitāb al-istikmāl wa-l-manāẓir*, y con el valenciano Ibn Sayyid. La obra del primero, que parece que no llegó a concluirse, trataba de matemáticas y óptica, y fue conocida en resumen por Maimónides y por el discípulo de éste, Ibn ᶜAqnīn. La del segundo parece ser que se transmitió por vía oral, ya que Avempace, en la época en que residía en Valencia, siguió sus cursos y ha dejado un breve resumen –conservado con pésima letra. Ambas obras permiten entrever que las matemáticas alcanzaron también en la península un desarrollo insospechado; que se plantearon problemas nuevos como los que resultan de la intersección entre curvas o superficies cónicas y alabeadas y, en consecuencia, la línea de intersección no se encuentra en un solo plano. Igualmente estudió superficies de grado superior al segundo y además introdujo generalizaciones y problemas hasta entonces desconocidos. De todos modos estas apreciaciones son provisionales y no podrán precisarse hasta que aparezcan nuevos manuscritos.

La medicina fue cultivada por la familia de los Avenzoar (Ibn Zuhr) durante cinco generaciones. El epónimo de la misma fue ᶜAbd al-Malik, de Talavera de la Reina (m. 1078), quien aprovechó la peregrinación a La Meca para estudiar medicina en Cairauán y El Cairo y a su regreso fue médico de Muŷāhid de Denia. Su hijo Abū-l-ᶜAlā', llamado por los cristianos Aboali, Abuleli, Abulelizor, etc., (m. 1130) tuvo una sólida formación religiosa y literaria pero, especialmente, médica. Estuvo al servicio del taifa sevillano al-Muᶜtamid y luego fue visir y médico del almorávide Yūsuf b. Tašfīn. En su época llegó a Occidente un ejemplar del *Qānūn* de Avicena que Abū-l-ᶜAlā' compró, leyó y refutó en alguna de sus partes. Su hijo Abū Marwān (m. 1161), el Abhomeron Avenzoar de los latinos, amigo de Averroes, escribió el célebre *Taysir*, manual de técnica y profilaxis que fue traducido al latín por Paravicini (c. 1280). En él se describe por primera vez el absceso de pericardio, recomienda la traqueotomía, la alimentación artificial a través del esófago o del recto y es uno de los descubridores del arador de la sarna. Su fama como práctico fue extraordinaria y el propio Averroes, al fin de su *Colliget*, remite al *Taysir para* todo lo que se refiere a terapéutica. El hijo y el nieto de Abū Marwān, menos importantes, fueron igualmente médicos de los almohades.

Averroes (1126-1198), además de ser un gran filósofo, fue un gran médico y un excelente científico. Nieto de un cadí de Córdoba (de aquí que a éste se le llame «el abuelo» y a aquél «el nieto») estudió medicina con Abū Yaᶜfar Harūn de Trujillo. Tuvo una retentiva extraordinaria, lo que le llevó a aprenderse de memoria varios libros, entre ellos alguno de Aristóteles, pues sus comentarios frecuentemente están formados con las mismas palabras y oraciones gramaticales de éste, pero dispuestas de un modo más asequible a un pensador del siglo XIII. Hacia 1153 estaba en Marráquex en donde realizó observaciones astronómicas y fue presentado por Ibn Ṭufayl al califa almohade Abū Yaᶜqūb Yūsuf (1163-1184). Desde este momento hasta 1195 tuvo el favor de los califas almohades y desempeñó cargos importantes en la administración ya que llegó a ser cadí de Sevilla y Córdoba. En 1182 sucedió a Ibn Ṭufayl como médico de la corte. Su fama en esta ciencia era notoria desde que en 1169 dio a conocer su *Kulliyat o Colliget*. Doce años después caía en desgracia por motivos políticos: el califa Yaᶜqūb al-Manṣūr, que preparaba la campaña de Alarcos, estimó pertinente galvanizar los ánimos del pueblo atrayéndose a los seguidores de los alfaquíes, que veían con malos ojos, como siempre, el estudio de la filosofía. Averroes fue desterrado a Lucena y un ejemplar de cada una de sus obras filosóficas, prohibidas y quemadas. Una vez vencidos los cristianos, el califa volvió de nuevo a sus antiguas aficiones y rehabilitó a Averroes quien moría poco después en Marráquex. Su cadáver fue trasladado a Sevilla donde el célebre místico murciano Ibn ᶜArabī asistió al entierro en el cementerio de Ibn ᶜAbbās.

El estudio de las plantas medicinales había recibido un gran impulso después del siglo X: al-Bakrī (m. 1094), el botánico anónimo publicado por Asín (c. 1100), al-Gāfiqī (m. 1165), Abū-l-ᶜAbbās al-Nabatī (m. 1239) y muchos otros andalusíes habían ampliado notoriamente el número de simples conocidos por Dioscórides. Todas estas aportaciones se encuentran recogidas en la obra del malagueño Ibn al-Bayṭar (m. 1248) quien recorrió, herborizando, buena parte de al-Andalus, África, el Próximo Oriente y fue a morir a Damasco. Su gran enciclopedia enumera alfabéticamente unos mil cuatrocientos medicamentos de origen vegetal y mineral, cifra que rebasa con creces a los conocidos de la antigüedad. Su obra ejerció una notable influencia en el Renacimiento y planteó problemas para la época en

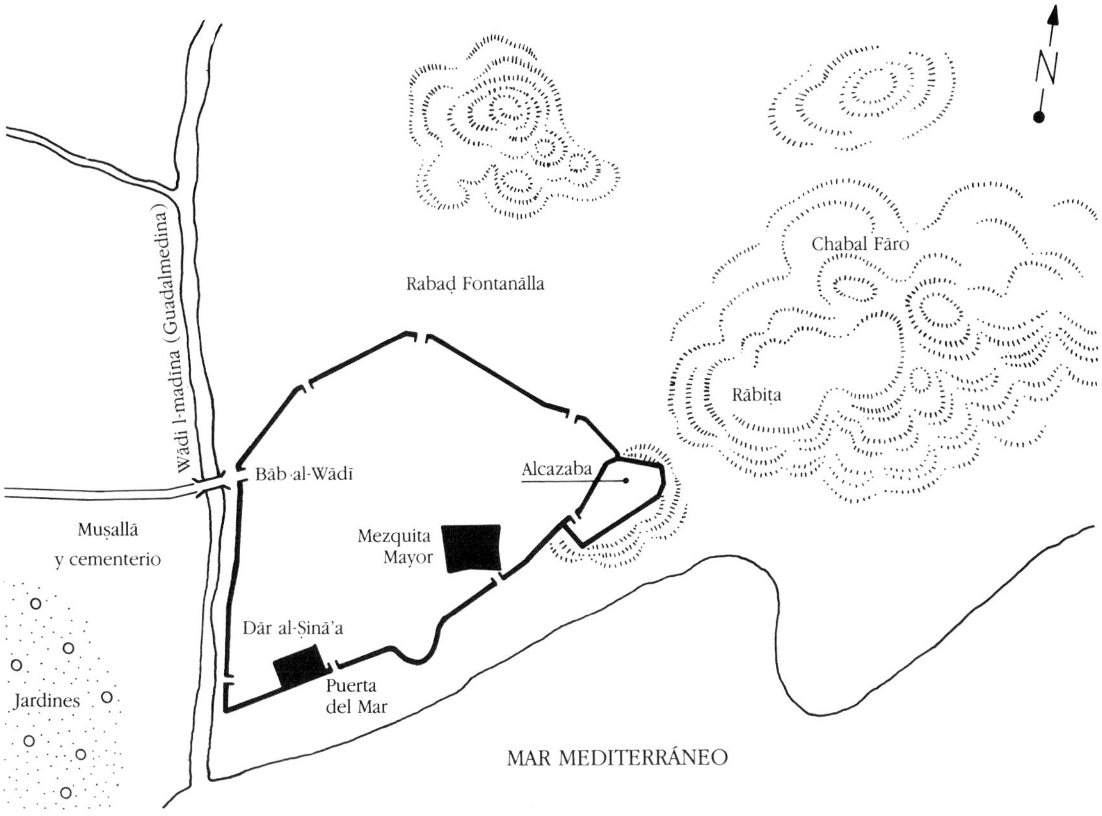

Málaga. Plano esquemático del siglo XI.

que la redactó, puesto que fue por aquel entonces cuando se introdujeron en al-Andalus, primero los hospitales médicos generales y luego los nosocomios, es decir, un siglo antes de lo que comúnmente veníamos admitiendo.

El primer hospital en el islam parece haber sido fundado por influencia persa, por el califa Walīd I (705-715), si es que no se trata de una leprosería o zona acotada para estos enfermos como fue años más tarde en Córdoba el *Rabaḍ al-marḍà*. A partir del siglo IX estas instituciones se multiplican en Oriente y el hospital *ʿaḍūdí*, inaugurado en Bagdad en el 982, tenía a su servicio ochenta médicos de distintas especialidades que desempeñaban además una labor docente. En esa época ya existían salas especiales según las distintas enfermedades y entre ellas se encontraba una destinada a los esquizofrénicos que pronto adquirió mayor entidad puesto que llegó a formar, ella sola, un hospital, manicomio o mazmorra al cual iban a parar los locos y, en casos especiales de clemencia, herejes (políticos) a los que se hacía pasar por locos (tal fue el caso del mayor poeta árabe, al-Mutanabbī). Los andalusíes conocieron la existencia de estas instituciones en la época del califato, pero no las utilizaron. Sólo a partir de la época almohade parece ser que se introdujeron en el Magrib y al-Andalus, a pesar de que las referencias de los historiadores árabes a esta última región remontan sólo al siglo XIV, durante el reinado de Muḥammad V de Granada.

Pero el monje catalán Raimón Martí (m. 1284) introdujo en su diccionario árabe-latino palabras como *māristān* (hospital, en persa), opio, *banŷ* (narcótico), etc. Por otra parte sabemos que el médico de Damasco, Ibn Dajwār (m. 1230), calmaba las crisis de los locos con infusiones de opio en lugar de atarlos con cadenas, argollas y darles palizas. Este mismo médico parece que ya distinguía entre maníacos y esquizofrénicos. Por otra parte sabemos que Barcelona mantenía abierto un consulado en Damasco desde 1260, razón por la cual cabe suponer que los súbditos del rey de Aragón estarían al corriente de lo que sucedía en Siria y que serían los mercaderes catalanes los que introducirían en Occidente las drogas que cita Raimón Martí.

En lo que sigue hay que descartar uno de los valores que la palabra *hospital* tiene en las lenguas romances (posada) que remonta a la época romana, y en las cuales, si por casualidad caía alguien enfermo procuraban que permaneciera el mínimo tiempo posible. Un segundo valor debió aparecer en el siglo XIII con

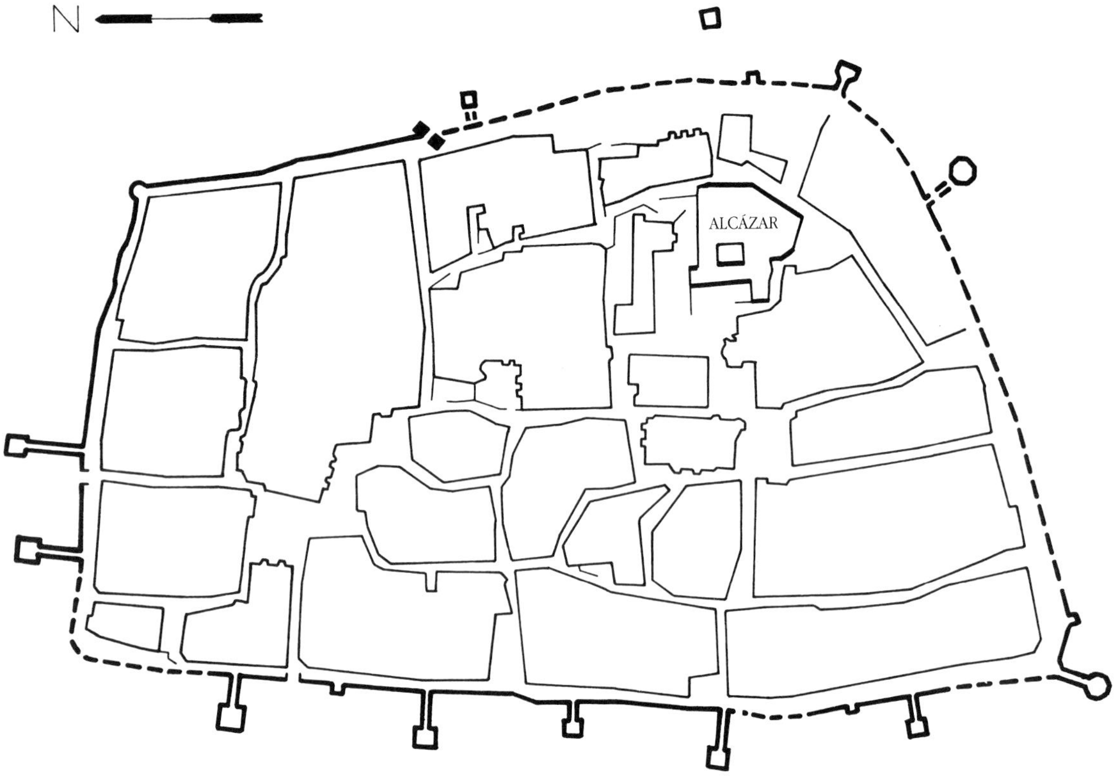

Cáceres. Plano de la cerca almohade.

el significado actual de hospital, y más adelante, en el siglo XV, se aplicó también a los manicomios.

Existen una serie de documentos sueltos que parecen confirmar que el hospital se utilizó en Levante con anterioridad a Granada. Un documento de la catedral de Valencia, fechado en 1272, lega dos camas –una para la sala de hombres y otra para la de las mujeres– en el hospital de San Vicente. Por otra parte sabemos que los médicos –al igual que ocurría en Oriente– no dormían en el hospital sino que sólo iban por allí, por la mañana o por la tarde, a pasar visita. Otro documento nos dice que cuando Jaime I conquistó Valencia (1238) mandó fundar un hospital, luego éstos ya existían en la capital del Turia y pudo muy bien haber mandado exclusivamente el restaurar el almohade preexistente. Posteriormente y al tiempo que estas instituciones se extienden por la Corona de Aragón, los soberanos dan órdenes tendiendo a que la estancia fuera gratuita y hacia 1375 en Barcelona existía ya una casa en la que estaban encerrados, sujetos con cadenas y grilletes, los *orats* o esquizofrénicos.

Las invasiones africanas no trajeron un nuevo arte a al-Andalus. Antes bien, fue el arte andalusí el que se desarrolla en África puesto que ʿAlī b. Yūsuf se llevó a los mejores artesanos peninsulares al otro lado del Estrecho. Las obras que allí realizaron se distinguen por armonizar entre el sentido de orden califal con la exhuberancia de lo taifa.

En cambio el puritanismo de los almohades les lleva a realizar grandes construcciones, ya que disponen de materiales muy consistentes, en los que la decoración queda supeditada a la arquitectura. Bajo su largo dominio se destruyeron parte de los edificios almorávides y se cubrieron, en los restantes, como puede verse en el Qayrawiyyin, la riqueza y la suntuosidad que tanto había gustado a sus antecesores. El sultán ʿAbd al-Mu'min fue el principal inspirador de estas nuevas líneas como se comprueba en la Kutubiyya y Tinmel, donde impera una discreción y severidad que contrasta con el lujo típico de los elementos hispanomusulmanes. Los artesanos andaluces supieron resolver este problema: frente a la autoridad califal y a la exuberancia de la Aljafería, lo almohade se distingue por dejar en los capiteles grandes espacios vacíos con motivos florales espaciados en forma de ramilletes. Con ello se destaca mucho más la perfección de la línea y se exige un mayor cuidado en el trazado del dibujo que resalta aislado en las superficies desnudas. La característica principal del arte almohade es, pues, la austeridad. La Giralda de Sevilla es un exponente de ello, aunque quizás esté provista de una decoración más rica que la de la arquitectura norteafricana.

La literatura descuella inicialmente en Levante en donde Ibn al-Jafāŷa de Alcira y su sobrino Ibn al-Zaqqāq son los principales representantes de la poesía floral. Pero poco a poco la poesía pierde su importancia en la época almohade durante la cual destacan sólo unos cuantos poetas aislados como Abū Ŷaʿfar b. Saʿīd y su amante Ḥafṣa bint al-Ḥāŷŷ al-Rakūnī; el judío islamizado Ibn Sahl (m. 1260), célebre porque, según él, reunía dos humillaciones: la de estar enamorado y ser judío.

Pero al lado de la poesía clásica aparece ahora otra popular nacida del contacto habido entre mozárabes y musulmanes. Prescindiendo del complejísimo problema de cómo se gestó esta lírica en el siglo x, subrayaremos simplemente que una de sus características consiste en tener un estribillo en romance que es, hoy por hoy, la muestra más antigua que tenemos de la lírica española. Muchos autores andalusíes cultivaron indistintamente el género clásico y el popular en las dos variantes que este último presenta: la moaxaja y el zéjel. El más famoso de estos autores es Ibn Quzmān (m. 1160) que, a pesar de llevar el pomposo título de visir, vivió en una época en que esta palabra ya estaba derivando hacia su actual significado: alguacil. Parece que el zéjel fue inventado por Avempace quien utilizó a lo largo de toda la composición una mezcla de palabras romances y árabes. El poema, destinado a ser cantado, fue perfeccionado por Ibn Quzmān y aún hoy en día sobrevive en Oriente como medio de crítica política.

EL REINO NAZARÍ DE GRANADA

Desde el momento en que Muḥammad I al-Aḥmar consiguió hacerse con el reino de Granada (1231), su política y la de sus sucesores consistió en mantener un difícil equilibrio entre tres poderes: Castilla, Aragón y Marruecos. Al primero lo aplacaron pagando puntualmente las contribuciones que como vasallos debían a sus señores; al segundo, que había puesto fin al protectorado de Menorca mediante la anexión de esta isla a la Corona de Aragón (1286), se le ofrecía una alianza que garantizaba sus intereses comerciales y dejaba en paz al señorío de Crevillente que era un estado vasallo de la Corona. El acuerdo más difícil se presentaba con Marruecos que, en poder de los benimerines, se mostraba con ganas de volver a poner el pie en la península. Lo consiguieron a pesar de la fugaz ocupación (1306) de Ceuta por los granadinos, que sabían muy bien que cada vez que un ejército africano había desembarcado en al-Andalus para auxiliar a sus correligionarios, había terminado por transformarles en súbditos suyos.

A pesar de estas líneas generales de la política granadina en la primera mitad del siglo xiv, las alianzas se invierten más de una vez mientras se lucha por el dominio del estrecho y los hechos de armas, ocupación de algunas plazas y, sobre todo, la cruzada de Almería (1309), son más espectaculares que efectivas. Al fin, en 1340, los ejércitos hispanomarroquíes chocaron con los castellanos de Alfonso XI en la batalla del Salado. Vencedor éste, el peligro africano quedó descartado para siempre de la península y aunque los benimerines conservaron por algún tiempo en ella plazas fuertes, su aporte militar se canalizó en una especie de legión extranjera que con el nombre de voluntarios de la fe (muŷāhidūn, hoy muŷāhidin, y una serie de variantes de esta palabra se leen en los periódicos), prestó buenos servicios a los sultanes de Granada.

El siglo xv representa el último momento de esplendor cultural del islam andalusí. Los nazaríes o Banū al-Aḥmar, eran dueños de un estado homogéneo unánimemente musulmán puesto que en los períodos anteriores se habían ido eliminando una tras otra minoría. Por tanto no tuvieron más preocupación que la de robustecer sus fuerzas trasformando la religión popular en un arma política: las rábitas aparecieron por doquier, los morabitos hicieron cada día mayores portentos, los alfaquíes malequíes adoptaron posiciones más extremas y el sentido xenófobo y anticristiano se intensificó.

El éxito conseguido por esta política entre los elementos populares tuvo muy pocas repercusiones en la aristocracia árabe, que se mostró levantisca y se enfrentó entre sí y con el propio soberano: la sublevación de los Banū Ašqīlūla (Escayuelas), los choques entre los cegríes y abencerrajes estuvieron a la orden del día e hicieron ineficaz cualquier intento de defensa contra las esporádicas acometidas de los cristianos: Antequera cayó en sus manos (1410), vencieron en la batalla de Higueruela (1413) y recuperaron Gibraltar (1462). Estos ataques esporádicos se transformaron en guerra regular tan pronto subieron al poder los Reyes Católicos los cuales, tras diez años de hostilidades y de maquiavélico juego político con los distintos partidos de los granadinos (1481-1492), consiguieron que Boabdil

(Abū ʿAbd Allāh) el Chico, les entregara la capital del reino, lo único que aún retenía entre sus manos.

Los Reyes Católicos consiguieron ocupar el último baluarte del islam en España en el preciso momento en que la potencia otomana iniciaba su invasión por los Balcanes hasta llegar a Viena (1528) y avanzaba por el litoral norteafricano hasta Argelia. A las puertas de Viena las detuvo Carlos V el Emperador y, ante Marruecos, la dinastía de los jerifes.

Los musulmanes que se quedaron a vivir en España tuvieron que optar entre seguir practicando públicamente su religión, y se les llamó mudéjares, o convertirse al cristianismo, transformándose en moriscos. Pero como el mundo cristiano no tenía una legislación apropiada para aplicar a los primeros, tomó, con pocas variantes, la expuesta en el Corán para los *ḏimmíes*, lo cual motivó nuevas reacciones: por un lado hubo cristianos que opinaron que no debía permitirse la existencia de esa minoría dentro de sus fronteras desde el momento en que sus leyes no habían previsto el caso y, más aún, por representar a la religión y al pueblo que durante ocho siglos habían dominado la península.

Por su lado, los alfaquíes consideraron como un pecado enorme el hecho de que los mudéjares aceptasen ser vasallos de un soberano de distinta religión y los consideraron despectivamente. En este aspecto las fetuas (dictámenes) de los alfaquíes son más instructivas. Pero mal que pesara a los elementos integristas de los dos bandos, los mudéjares pudieron vivir durante varios siglos sin ser molestados, pues no en vano a los reyes castellanos les había gustado llamarse soberanos de las tres religiones (cristiana, musulmana y judía). Durante esta época tranquila las comunidades castellanas y aragonesas pudieron cultivar su propia cultura perdiendo, poco a poco, el dominio de la lengua árabe: sus producciones empezaron a escribirse en castellano –aragonés, pero con letras árabes: la literatura así nacida recibió el nombre de aljamiada. Sus aportaciones a la cultura española fueron, no obstante, nulas, puesto que no pudieron o quisieron recoger los avances científicos llegados al reino de Granada.

Su posición empeoró cuando las masas cristianas empezaron a irritarse contra los judíos y, de rechazo, comenzaron a considerar que la unidad nacional exigía la unidad de la religión. La situación, inicialmente tolerable, se agravó hasta el punto de que en 1502 los mudéjares granadinos se vieron ante la alternativa de emigrar o bautizarse: la mayoría optó por esto último y los bienes habices (de obras pías) se asignaron a las iglesias. En 1525 se adoptó el mismo criterio respecto a los mudéjares del resto de España y la masa de neófitos, formada por unos cuatrocientos mil moriscos, muchos convertidos a la fuerza, jamás fueron bien vistos por las clases dirigentes –exceptos los levantinos– que siguieron aplicándoles medidas discriminatorias y se hicieron sospechosos a la Inquisición.

Todo esto unido a una crisis de la industria sedera, de la cual vivían buena parte de los residentes en el antiguo reino de Granada, dio lugar a la formidable sublevación de las Alpujarras. Una vez sofocada ésta se planteó a las autoridades españolas el problema de buscar una solución definitiva para una minoría que, siendo nacional, se creía que era inasimilable, por más que algunos de sus miembros, vg. Alonso del Castillo, prestasen servicios destacados a la corte. Por su parte los moriscos se sentían discriminados y descontentos siendo azuzados por fetuas, como la del muftí de Orán (1536), que sostenía que mal podían vivir en un país en que la Inquisición les impedía practicar públicamente su verdadera religión. Muchos empezaron a emigrar voluntariamente al norte de África, instalándose en sus ciudades y alistándose en el ejército marroquí cuyas mejores unidades, las que conquistaron la cuenca del Níger, estaban integradas por moriscos y renegados y, por otra parte, llevaron a Marruecos y Túnez un aire de europeísmo y renacimiento que no se supo aprovechar.

Cuando Felipe III (1609-1610) mandó expulsarlos de España por motivos políticos –jamás hubo contra los moriscos un clamor popular como el levantado contra los judíos–, cerca de un cuarto de millón de personas marchó a las cortes del sur del Mediterráneo esperando encontrar el afecto de sus correligionarios. En general no fue así y, mal acogidos, se agruparon e intentaron formar estados autónomos con poco éxito.

Sin embargo, en la península quedaron más de los que parece y que, según fueron descubiertos por la Inquisición o no, gozaron de vida más o menos tranquila. Un simple ejemplo nos mostrará la suerte de la familia Ḥaddād que, descubierta en el valle del Jalón, escapó a las cercanías de Caspe cambiando su nombre árabe por la traducción castellana del mismo, Herrero. Nuevamente descubierta, huyó a tierras de lengua catalana, traduciendo de nuevo su nombre en Ferrer. Pero un registro por sorpresa en su casa dio a la Inquisición motivos para acusarlos de relapsos. ¿Puede creerse que cumplidos los castigos pertinentes recobraron sus tierras y que aún hoy –olvidadas todas esas incidencias de sus antepasados– siguen viviendo entre nosotros?

Es de suponer que no es éste el único caso documentado y que Guzmanes, Gomares, Gomilas, Gasullas, Bujaldones, etc., muchos de cuyos apellidos tanto pueden ser de origen árabe como cristiano, continúan viviendo en la península sin que podamos afirmar su ascendencia musulmana o cristiana, a menos de hacer un estudio detallado de su genealogía, si es que se encuentran en los archivos de la Inquisición y en los protocolos de notarios la documentación pertinente.

La ciencia en al-Andalus –y en toda la península– durante el siglo XIII continuó siendo de raigambre árabe y pasó rápidamente al latín y a las lenguas romances mediante figuras como los catalanes Ramón Llull y Arnaldo de Vilanova y el rey castellano Alfonso X el Sabio (1252-1284). La obra de éste será un eco del legado del islam andaluz. El rey, científicamente hablando, fue un sabio árabe. Una vez muerto el interés que para éste tuvo Oriente, fue sucedido por el del Occidente en general y así, a lo largo de muchos años, los intercambios culturales entre Europa y Asia van siendo cada vez más fructíferos, aunque ya no pasen todos por España.

A Alfonso X se debe la transmisión a Occidente de la mayor parte de descubrimientos realizados en al-Andalus entre los siglos XI y XII. A él se debe la recolección de los *Libros del saber de astronomía* y el haber recogido elementos matemáticos que procedían de Ŷābir b. Aflaḥ que llegaron hasta Regiomontano e introdujeron una trigonometría de alto nivel en el mundo cristiano. Impulsó la colaboración de mozárabes y judíos y procuró copiar, corrigiéndolos si era necesario, los manuscritos árabes que las conquistas propias y de su padre, Fernando III, habían hecho caer en su poder. Al lado del sistema de traducción habitual, un solo traductor con sus ojos y dos manos, a veces, en especial para las versiones al latín, se utilizó el sistema de las «cuatro» manos: un judío o mozárabe traducía al castellano en voz alta y un clérigo ponía por escrito en latín lo que oía.

Al mismo tiempo los intelectuales de Granada emigraban a África Menor o a Oriente y tenemos motivos suficientes para creer que no cortaron los lazos científicos que les unían con sus amigos que quedaban en Occidente. Igualmente hay que notar que –a diferencia de otros soberanos– Alfonso X tuvo frecuentes relaciones con el Próximo Oriente. En este aspecto hay que señalar que el astrónomo persa, al servicio del *iljān* mogol Hulagu, Naṣīr al-Dīn Ṭūsī (m. 1274), construyó unas tablas astronómicas entre los años 1259-1272 y que las alfonsíes se redactaron entre 1263-1272; más interés tiene saber que en Marāga (donde se realizaron las observaciones de Naṣīr al-Dīn) colaboraran astrónomos granadinos, chinos y de otras varias nacionalidades, y que en la misma época se realizaban observaciones en Pekín en donde se utilizaban prácticamente los mismos instrumentos que en Toledo y Marāga. Ciertos datos técnicos permiten saber que la distancia entre Toledo y Pekín se determinó con un error menor de 500 kilómetros y que en 1985 se han encontrado en un manuscrito (siglo XIV) de Ho-chou, que se conserva en la actual provincia china de Kansu, constantes numéricas que se corresponden con las *Tablas alfonsíes*.

Por otra parte ciertos problemas matemáticos, vg. la demostración (imposible) del V postulado de Euclides, los problemas de los infinitésimos o el lema de Ṭūsī –Copérnico– La Hire que habían sido estudiados en Oriente, lo fueron también –contra lo que hasta hace poco pensábamos– en Castilla por Alfonso de Valladolid o rabí Abner (siglo XIV) y que las corrientes orientales que postulaban la existencia de un universo infinito (contra Aristóteles) se desarrollaron también en Occidente y que aquí, de manos de Ibn al-Bannā' y al-Qalāṣadī, nació la simbología matemática moderna.

Conocemos también una serie de astrónomos nazaríes como Muḥammad b. al-Raqqām (1265-1315), Muḥammad b. Arqam (m. 1269), los Ibn Bāṣō, padre e hijo, etc.

En el campo de la alquimia tropezamos con el latino Geber (al que no hay que confundir ni con Ŷābir b. Ḥayyān ni con Ŷābir b. Aflaḥ) perfectamente informado de los descubrimientos árabes y en cuyas obras se cita la descripción de cómo se obtiene el oro por copelación; del ácido nítrico; del agua regia, etc.

Como médico y políglota hay que mencionar al murciano al-Riqūṭī. Al ser ocupada su ciudad por Alfonso X (1266), éste le construyó una *madraza* (universidad islámica) para que enseñara a la vez a musulmanes, cristianos y judíos, le colmó de honores e intentó convertirlo al cristianismo. Al-Riqūṭī se negó, comentando luego entre sus amigos: «Ahora sólo sirvo a un Señor y no alcanzo a cumplir mis deberes con Él. ¿Qué ocurriría si adorase a tres [alusión a la Santísima Trinidad] como me piden?». Más tarde pudo escapar a Granada.

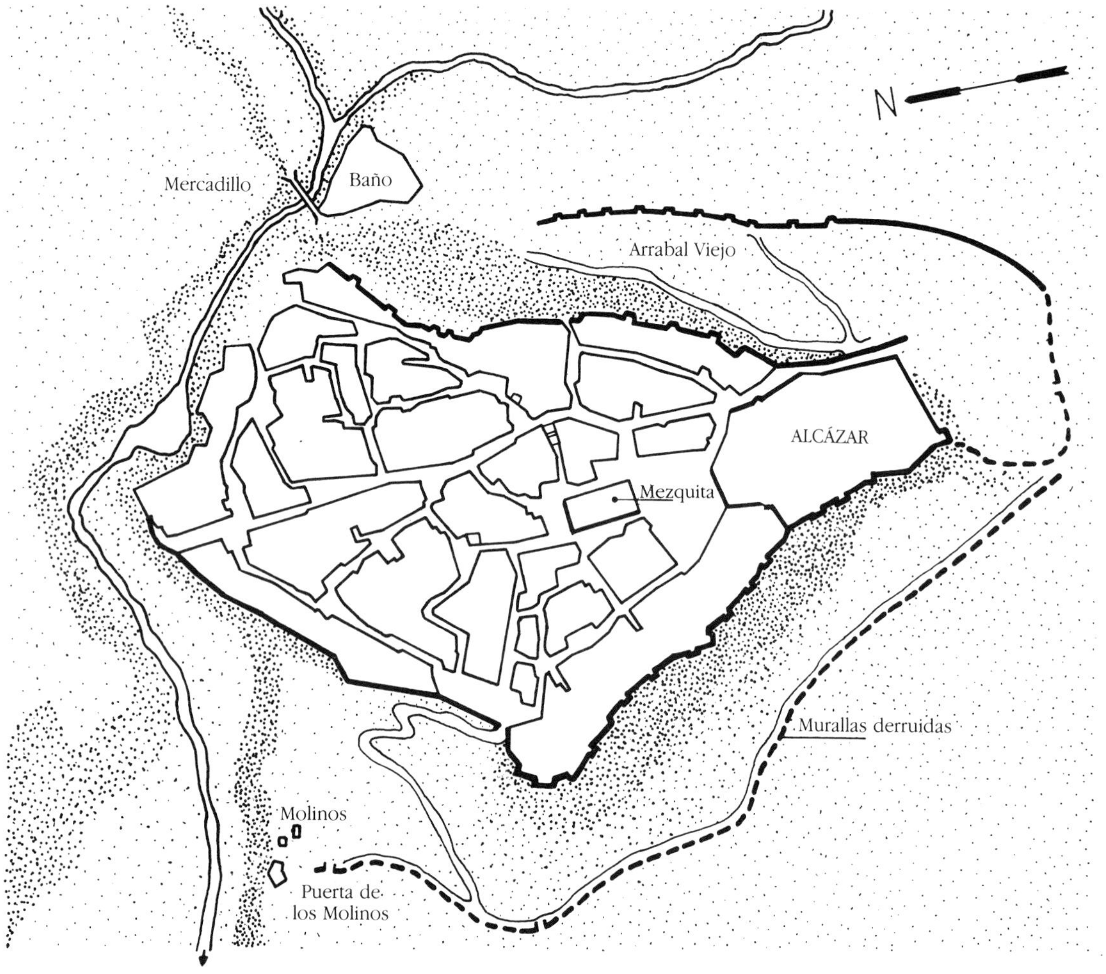

Ronda (Málaga). Plano de la ciudad en la época musulmana.

El número de médicos granadinos cuyas biografías conservamos es bastante crecido y en época de Muḥammad V (1356) se fundó el hospital de Granada. Poco antes Yūsuf I (1349) había construido la madraza que aún hoy podemos admirar. Al mismo tiempo va adquiriendo cada vez más fuerza la implantación de exámenes antes de permitir la práctica de la medicina.

También es en el siglo XIV cuando la marina de guerra nazarí llega técnicamente al máximo de perfección y conoce todos los instrumentos –brújulas, cuadrantes, derroteros, cartas náuticas– necesarios para navegar mar adentro. Estas técnicas, completamente divulgadas entre los cristianos del siglo XV, permitirán que se inicie la época de los grandes descubrimientos.

La arquitectura vive fiel al pasado pero sin su solidez: la piedra escasea, el ladrillo y el yeso aumentan y, en consecuencia, las grandes construcciones ganan esbeltez, dado el manejo y trabajo más fácil con los nuevos elementos. El aislamiento en que vive el reino hace que no se introduzcan muchos elementos foráneos y la ornamentación floral se reduce casi a una larga palma simple o doble repetida hasta el infinito y una especie de piña ovalada en punta. Las inscripciones –tanto suntuarias como monetarias– abandonan la letra cúfica para ser substituida por la cursiva. Como elemento decorativo se prefieren las estrellas poligonales, tema que se usa con profusión en todas las variantes posibles. Se pierde el intento de originalidad en cada fragmento: todo se repite hasta la saciedad cayendo incluso en la monotonía. Los exteriores son sobrios y sin ornamentación, pero los interiores pecan de recargados. A la sinfonía armoniosa del dibujo se une la del color: las esculturas se tiñen de rojo y azul oscuro; los mosaicos representan una gran policromía que va desde los blancos hasta los azules, verdes, marrones y violetas; la madera tallada prefiere los rojos, azules intensos y oro.

Los edificios más esbeltos prescinden de la piedra esculpida, a excepción de algunos mármoles, pero, en general, lo que abunda es la decoración en yeso de gran apariencia. La disposición es típicamente musulmana: espacios cerrados que contienen un patio interior a cuyo alrededor se disponen pasillos arcados a los que dan las puertas de las habitaciones; incluso los jardines son, casi siempre, propiedad privada. Algo característico es el aprovechamiento de la belleza natural para el emplazamiento de las construcciones. Grandes amantes del paisaje –esta afirmación ha sido y es tema de discusión desde hace muchos años– consiguen armonizar la buena situación con la estética del panorama y la estructura externa de las habitaciones.

La obra más importante es la Alhambra («La Roja»), construida en la última de las estribaciones de Sierra Nevada, hacia el Darro, y sigue la tradición corriente en los países islámicos e iniciada en al-Andalus por al-Nāṣir con Medina al-Zahrā': la de ser un recinto gubernamental. En ella se encuentra el palacio real y todas sus dependencias para miembros del reino, servidores, esclavos, artesanos, etc., que dependían directamente del rey. No nos ha llegado completa toda su construcción que tal vez iniciara en el siglo XI, con un discreto palacio, el judío Samuel b. Nagrella; algunos edificios del siglo XIII han desaparecido y los que se conservan datan del XIV. Comenzada bajo el reinado de Muḥammad al-Aḥmar, fue continuada por sus sucesores, en especial por Muḥammad II al-Faqih. El recinto se halla fuertemente amurallado y flanqueado por varias torres, lo que le da aspecto de fortaleza, aumentando así el contraste que se siente al contemplar lo delicado de su interior.

El recinto que podríamos denominar parte real está compuesto por dos patios perpendiculares entre sí, el de Comares y el de los Leones, que constituyen, cada uno, un palacio. El tercer bloque que merece citarse es el que forma el patio de Machuca, grupo de edificios que precede a los otros dos. Casi todas sus construcciones fueron restauradas por los cristianos y sólo se conserva de su época el Mexuar o Sala del Consejo que se abre al patio y a la Sala Dorada. Al otro lado del patio de Machuca se abre la comunicación con el patio de Comares, obra de Yūsuf I, compuesto por un patio rectangular, patio de la Alberca, llamado así por el gran estanque que hay, rodeado de arrayanes. La parte norte da a la Sala de Embajadores, la sala del trono, para llegar a la cual hay que atravesar la Sala de la Barca, que tiene un lujoso artesanado. Desde las ventanas de la Sala de Embajadores se puede contemplar la casa de campo de los sultanes: el Generalife.

En el patio de Comares se encuentran los baños, un poco por debajo del nivel de palacio, con la sala llamada de las Camas, lugar de reposo para después del baño. A Muḥammad V se debe la construcción de la Sala de los Leones, llamada así por las esculturas, que remontan a la época del califato, que de estos animales se hallan en el patio. Los cuatro lados tienen galerías y los frentes ostentan además unos templetes salientes. Sobre esbeltas columnillas de mármol descansan arcadas de yeso esculpido. En el centro del patio se encuentra una fuente formada por una gran taza de mármol sostenida por doce leones, muy estilizados, esculpidos en piedra. A este patio dan varias salas: al norte, la de las Dos Hermanas, por la que se llega al mirador de Lindaraja; al sur, la Sala de los Abencerrajes; al este, la de la Justicia, mientras la del oeste desapareció en el siglo XVII.

El conjunto de la Alhambra da una sensación aérea, frágil, de ensueño y exquisitez y al mismo tiempo de decadencia.

La poesía de la época nazarí cuenta con un número crecido de autores entre los que destaca –más que nada por la traducción en verso castellano que se hizo de su elegía– Abū-l-Baqā' de Ronda (m. 1285). Esta obra fue tan famosa que sufrió interpolaciones posteriores para incluir en ella los nombres de las ciudades que progresivamente perdían los musulmanes. Valera, en su traducción, imitó la estructura de las *Coplas* de Jorge Manrique y por este motivo se ha querido hacer, sin razón, a aquélla precursora de éstas:

Cuando sube a la cima
desciende pronto abatido
el profundo.
¡Ay de aquel que en algo estima
el bien caduco mentido
de este mundo!
....
¿Qué es de Valencia y sus huertos?
¿Y Murcia y Játiva hermosas?
¿Y Jaén?

De la misma época son los versos del místico al-Ṣustarī, de Ibn al-Abbār y de ʿAlī b. Saʿīd (m. 1286) que es autor de una antología de poesía titulada *Libro de las banderas de los campeones*, editada y traducida por Emilio García Gómez (1942-1981). Descuellan también Ibn al-Jaṭīb y su discípulo y rival Ibn Zamraq (m. 1394) cuyos versos, junto con los de Ibn al-Ŷayyāb, se emplearon para decorar las paredes de la Alhambra. El primero destacó también en el campo de la prosa por el estilo difícil y alambicado que empleó en sus obras (historia, medicina...) y en las cartas diplomáticas que tuvo que escribir mientras desempeñó el cargo de secretario de estado.

EL ISLAM, ESPAÑA Y EUROPA

A partir del siglo XIII poco a poco los cristianos españoles han ido forjándose una historia ideal, que, muchas veces, no se corresponde con la real. Tal, por ejemplo, la fecha en que nació la idea de cruzada; la influencia o no de la dominación islámica en nuestras costumbres y muchas más. Ahora bien: existen una serie de hechos palpables y documentados que muestran que la Historia de España ha dependido por un igual de los acontecimientos europeos como de los musulmanes, en especial de Marruecos; la derrota del rey don Sebastián de Portugal en la batalla de Alcazarquivir trajo como consecuencia la unidad peninsular y las consiguientes complicaciones políticas, la derrota de Anual, algo más larga, la caída de la II República, etc. La cuantificación de este influjo ha dado lugar a dos obras polémicas de valía: la de Américo Castro, quien ha explotado perfectamente las fuentes literarias, y la de Claudio Sánchez Albornoz, quien, sobre todo, ha intentado refutar la obra de aquél en dos macizos volúmenes en donde se encuentra también una parte constructiva al conjugar los elementos especialmente literarios aportados por Américo Castro, con los históricos, intentando demostrar, contra aquél, el escaso valor de la aportación islámica a nuestro modo de ser.

Sin embargo, no cabe duda que en España hubo un cruce entre dos civilizaciones distintas y que se refleja en locuciones del tipo «ojalá», «si Dios quiere», «ha tomado posesión de su casa», que son calcos castellanos de expresiones árabes que aún hoy son de uso corriente. Por otra parte la falta de escrúpulos de la nobleza para mezclarse con el pueblo, la carencia de prejuicios raciales y, con frecuencia, la importancia de la religión como elemento creador de la nacionalidad –recordemos que las órdenes cristianas más combativas: dominicos, jesuitas y Opus Dei fueron fundadas por españoles– son otros tantos elementos que pueden entroncarse con relativa facilidad con el modo de ser de los musulmanes. No ocurre lo mismo con la limpieza de sangre, ideada por los judíos sefardíes, y que, a fin de cuentas, al ser asimilada por los castellanos, iba a redundar en perjuicio de sus propios iniciadores, pues Castilla la adoptó porque podía servir para conservar la pureza de la religión.

Además, ciertos gustos culinarios –la afición por el pescadito frito–, la inclinación por las «tapas», etc., reconocen un mismo origen, y una gran masa de palabras árabes (unos cuantos miles) incluidas en el Diccionario de la Real Academia muestran también la importancia de la arabización de nuestro léxico. Oliver Asín estableció una lista parcial y temática de algunos arabismos. «La táctica militar que empleaban era distinta a la nuestra: tenían adalides, alferéces, alcaides; llevaban adargas, alfanges, acicates, aljabas; montaban a la jineta; daban rebatos; hacían algaras y alardes. Distintas eran también sus organizaciones administrativas o jurídicas, en las que figuraba el alcaide, almojarife, almotacén, zabalmedina, albacea, alguacil... Muy diversa era su vida comercial, que se hacía en almonedas, almacenes, alhóndigas, estableciéndose aduanas, imponiéndose tarifas, aranceles, alcábalas, garramas, alfardas, azofras, albaquíes, rodvas. No menos nuevas eran para los cristianos las tareas de la vida industrial musulmana sobre todo en lo relativo a vestido: albornoz, alquicel, aljuba, chupa, zaragüelles; a tejidos: alfombra, alcatifa, almohada; a productos de droga: albayalde, talco, alcanfor, solimán; a metalistería: zafra, alcuza, acetre; a carpintería: tarima, taracea; a joyería: alhaja, abalorio, ajorca, alhaite, alcorcí... Nuevas eran sus artes, aunque reducidas tan sólo a la Música y Arquitectura. Recordemos de la primera los instrumentos como adufe, rabel, laúd, ajabeba, añafil, albogue, tambor y de la segunda, los términos propios de los alarifes y albañiles como ajimez, alféizar, alcoba, zaguán, algorfa, azotea, acitara... En la vida agrícola se perfeccionaban antiguos sistemas de riego y se renovaban o introducían nuevos cultivos. Y, así, se abrían acequias, aljibes, arcaduces, zanjas; se construían albercas y azudes; se levantaban aceñas y norias; se sembraban alfalfa, arroz, azafrán, berengenas, sandías, algarroba, alubia; cogían la aceituna, albérchigo, acerola... Especial importancia tenía también la vida pastoril: recordemos rabadán, gañán, zagal, res, azaque...»

Pero, a pesar de todo ello, estos hechos demuestran el importante peso específico que el mundo árabe tuvo en la formación de la España actual que, sin embargo, no pudo penetrar en el substrato hispánico de modo definitivo. La pátina unitaria islámica que ha recubierto con extraordinaria facilidad los más diferentes pueblos y las más diversas culturas: persas, turcos, bereberes, hausas, mogoles son buen ejemplo de lo que decimos. En al-Andalus siguió los mismos pasos que entre los pueblos citados pero, enfrentado a un enemigo exterior vencido al principio y vencedor después, sólo pudo influirle indirectamente desde un punto de vista espiritual y, más directamente, desde el material y cultural.

En estos dos últimos aspectos su éxito fue extraordinario, pues a través de los cristianos españoles grandes descubrimientos técnicos y científicos llegaron a Europa. Y numerosos fueron los futuros sabios occidentales que realizaron sus estudios en la España reconquistada a partir del siglo x. El número de éstos fue muy grande y sus intereses muy distintos, desde los religiosos destinados a estudiar la doctrina que querían combatir, hasta los alquimistas, astrónomos, astrólogos, filósofos, etc. Estudiaron en todas las ciudades apropiadas de la península: Barcelona, Tarazona, Zaragoza, Toledo, etc., y, en esta última, Gerardo de Cremona realizó tal número de traducciones del árabe al latín que durante muchos siglos se pensó que *todas* las traducciones de este tipo se debían a una escuela de traductores de Toledo. Los estudios de los últimos sesenta años muestran que no fue así, que si Toledo se llevó la parte del león en esos trabajos, otras ciudades pudieron parangonarse con ella. Y también parece claro que los traductores de esa época mantenían estrechas relaciones de amistad entre sí, a pesar de trabajar en ciudades distintas.

Fue por esta vía hispánica por donde, además de la ciencia, entraron en Europa una serie de apólogos orientales y elementos temáticos que, recogidos por Dante y vistiéndolos con ropajes toscanos, dieron origen a esa espléndida obra que recibe el nombre de *Divina Comedia*, mientras que otros se incorporaban de lleno en la literatura española del Siglo de Oro.

CUADRO SINÓPTICO DE LOS PRINCIPALES SOBERANOS DE LA PENÍNSULA IBÉRICA Y ESPAÑA EN PARTICULAR

OMEYAS	**ASTURIAS**		**CONDES DE BARCELONA**
Emires Independientes	Don Pelayo (718-737)		
	Alfonso I (739-757)		**Dependientes de Francia**
ʿAbd al-Raḥmān I (756-788)			
Hišām I (788-796)	Alfonso II (792-842)		
al-Ḥakam I (796-822)			Bera I (801-820)
			Independientes de Francia
ʿAbd al-Raḥmān II (822-852)	Ordoño I (850-866)		
Muḥammad I (852-886)	Alfonso III (866-910)		Wifredo I (874-898)
al-Munḏir (886-888)	**REYES DE LEÓN**		
ʿAbd Allāh (888-912)	Ordoño II (910-924)		Suñer (914-951)
CALIFAS			
ʿAbd al-Raḥmān III (912-961)	Ramiro II (931-950)		
			Ramón Borrell (954-993)
al-Ḥakam II (961-976)	Ramiro III (966-982)		
Hišām II (976-1009)			Berenguer Ramón I (993-1018)
Almanzor (976-1002)	Alfonso V (999-1028)		Ramón Berenguer I (1018-1035)
Guerra Civil			
***(Fitna)* 1009-1031**			
Reyes de taifas (1031-1091)	**REYES DE CASTILLA Y LEÓN**	**REYES DE ARAGÓN**	
	Fernando I (1037-1065)	Ramiro I (1035-1063)	
al-Muʿtadid de Sevilla (1042-1069)			
al-Ma'mūn de Toledo (1037-1074)			
al-Muqtadir de Zaragoza (1046-1081)	Alfonso VI (1065-1109)	Sancho I (1063-1094)	
al-Muʿtamin de Zaragoza (1081-1085)			
Badis b. Habbūs de Granada (1038-1073)			
al-Muʿtamid de Sevilla (1069-1091)			
ʿAbd Allāh b. Badis de Granada (1073-1090)			Ramón Berenguer III (1093-1131)
ALMORÁVIDES			
Yūsuf b. Tašfīn (1062-1107)		Alfonso I (1104-1134)	
ʿAlī b. Yūsuf (1107-1143)	Alfonso VII (1126-1157)	Ramiro II (1134-1137)	
		Petronila (1137-1162)	Ramón Berenguer IV (1131-1162)

(Continúa)

CUADRO SINÓPTICO DE LOS PRINCIPALES SOBERANOS DE LA PENÍNSULA IBÉRICA Y ESPAÑA EN PARTICULAR
(Continuación)

ALMOHADES	**CASTILLA**	**LEÓN**	**CORONA DE ARAGÓN**
Abū Yaʿqūb Yūsuf I (1162-1184)	Sancho III (1157-1158) Alfonso VIII (1158-1214)	Fernando II (1157-1188) Alfonso IX (1188-1229)	Alfonso I (1162-1196)
Yaʿqūb b. Yūsuf al-Mansūr (1184-1198) Muḥammad b. Yaʿqūb al-Nāsir (1198-1213)			Pedro I (1196-1213)
	REYES DE CASTILLA Y LEÓN		
NAZARÍES DE GRANADA	Fernando III (1217-1252) Alfonso X (1252-1284)		Jaime I (1213-1276)
Muḥammad I (1231-1272) Muḥammad II (1272-1303)	Sancho IV (1284-1295)		Pedro III (1276-1285)
Ismāʿīl I (1313-1324) Yūsuf I (1333-1354)	Fernando IV (1295-1312) Alfonso XI (1312-1350) Pedro I (1350-1369)		Jaime II (1291-1327) Alfonso III (1327-1336) Pedro IV (1336-1387)
Muḥammad V (1354-1390)	**CASA DE TRASTAMARA**		Martín I (1395-1410)
Fin del esplendor nazarí y luchas civiles continuas hasta que Muḥammad XI, *Boabdil*, se rinde a los Reyes Católicos, Isabel y Fernando, en 1492.	Enrique II (1369-1379)		
			CASA DE CASTILLA
	Juan II (1406-1454) Enrique IV (1454-1474) Isabel I (1468-1504)		Fernando I (1412-1416) Alfonso V (1416-1458) Juan II (1458-1479) Fernando II (1479-1516)
		Unidad de España y conquista de Granada	

BIBLIOGRAFÍA

ARIE, R.: *España musulmana (siglos VIII-XV)*. Vol. III de la *Historia de España* dirigida por Manuel Tuñón de Lara, Barcelona, 1982.

– *L'Espagne musulmane au temps des Naṣrides (1232-1492)*, París, 1973.

BOSCH VILA, J.: *Los Almorávides*, Tetuán, 1956.

CAGIGAS, I. de las: *Los Mozárabes*, 2 vols., Madrid, 1947-1948.

– *Los Mudéjares*, 2 vols. Madrid, 1948-1949.

CASTRO, A.: *España en su historia. Cristianos, Moros y Judíos*, Buenos Aires, 1948.

DOZY, R.: *Histoire des Musulmans d'Espagne justqu'à la conquête de l'Andalousie par les Almoravides (711-1110)*, nueva edición revisada y puesta al día por E. Lévi-Provençal, 3 vols., Leiden, 1932.

GARCÍA GÓMEZ, E.: *Poesía arábigo-andaluza, breve síntesis histórica*, Madrid, 1952.

GÓMEZ MORENO, M.: *Arte árabe hasta los almohades. Arte mozárabe*, Madrid, 1951, vol. III de la colección «Ars Hispaniae».

GONZÁLEZ PALENCIA, A.: *Historia de la literatura arábigo-española*, 2.ª ed. revisada, Labor, Barcelona, 1945; trad. árabe por H. Nu'nis: *Tārīj al-adab al-andalusī*, El Cairo, 1955.

HUICI MIRANDA, A.: *Historia política del imperio almohade*, 2 vols., Tetuán, 1956-1957.

LÉVI-PROVENÇAL, E.: *L'espagne musulmane au Xe siècle. Institutions et vie sociale*, París, 1932.

– *Histoire de L'Espagne musulmane*, 3 vols. París-Leiden, 1950-1953.

MENÉNDEZ PIDAL, R.: *La España del Cid*, 6.ª ed., Madrid, 1967.

– *Historia de España*, dirigida por Don Ramón Menéndez Pidal (Madrid, años 1940 y siguientes), tomos IV, V, VI, XIV, XV, XVII (1-2).

PRIETO Y VIVES, A.: *Los reyes de taifas. Estudio económico-numismático de los musulmanes españoles en el siglo V de la hégira (XI de J.C.)*, Madrid, 1926.

SÁNCHEZ ALBORNOZ, C.: *La España musulmana, según los autores islamitas y cristianomedievales*, 2 vols., Buenos Aires, 1946.

– *España, un enigma histórico*, Buenos Aires, 1956.

TORRES BALBAS, L.: *Ciudades hispano-musulmanas*, libro publicado con la colaboración de Henri Terrasse. Tomo I: *Historia e Instituciones. Organización de las ciudades. Las calles*. Tomo II: *Las defensas urbanas*, Instituto Hispanoárabe de Cultura, Madrid, 1972.

VERNET GINES, J.: *La cultura hispano-árabe en Oriente y Occidente*, Barcelona, 1978.

1

1. Ceuta, puerto desde el que habitualmente han zarpado todas las flotas destinadas a invadir España.

2

3

4

5

2. África, vista desde España. Sólo 13 kilómetros, las aguas del Estrecho de Gibraltar, con frecuencia encrespadas, separan Europa de África. En primer plano, la retama, típica de esa zona.

3. Tarifa, cuyo nombre procede del primer caudillo musulmán, Ṭārif, que en el año 710 realizó una incursión por tierras españolas dándose cuenta de la debilidad de las defensas visigóticas.

4. Peñón de Gibraltar, lugar en que desembarcó Ṭāriq b. Ziyād para iniciar la conquista de la Península (92/711).

5. Inscripción del año 960 que conmemora la restauración del castillo de Tarifa.

6

7

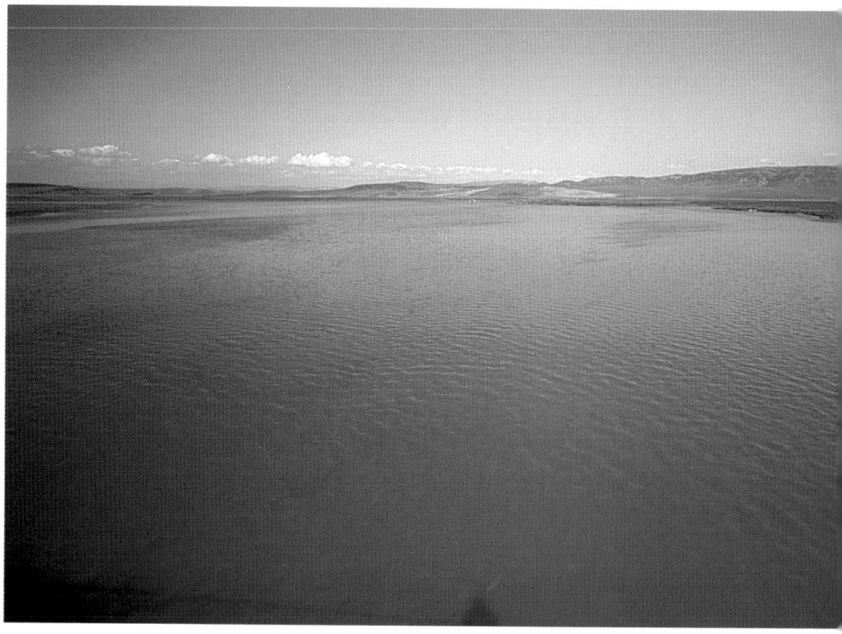

8

9

6. Algeciras o «La isla verde», enfrente del Peñón de Gibraltar, donde Ṭāriq b. Ziyād concentró sus tropas antes de emprender la conquista de España.

7, 8, 9, 10. El choque definitivo entre las tropas invasoras y las visigodas mandadas por el rey don Rodrigo parece haber tenido lugar en uno de estos tres lugares: a orillas del río Guadalete (8,9), junto al río Barbate (7) o cerca de la laguna de La Janda (10).

10

11

12

11, 12, 13, 14, 15, 16. El ejército invasor, después de vencer a don Rodrigo, ocupó las principales villas y vías de comunicación andaluzas, como Medina Sidonia (11), Zahara (12), Arcos de la Frontera (13), Casares (14), hasta llegar a las ciudades más importantes, como Ronda (15) y, sobre todo, Málaga (16).

13

14

15

16

17
18
19

20

21

17, 18, 19, 20, 21, 22, 23, 24, 25. Málaga. Las fotografías muestran el estado actual de los restos árabes de la ciudad después de haber sido restaurados y, por tanto, con niveles que pertenecen a diversas époacas. Destacan la Alcazaba (17, 18, 19, 20, 21, 22) y el castillo de Gibralfaro (23, 24, 25) unido por murallas a aquélla. Desde él se domina el puerto. El castillo, en su forma actual, fue construido por el rey nazarí Yūsuf I (siglo XIV). El literato hispanoárabe del siglo XIII al-Šaqundī dice de Málaga que «reúne las perspectivas tanto de tierra como de mar y sus viñedos se suceden ininterrumpidamente... Característico de esta ciudad es un delicioso vino, hasta el punto de que el vino de Málaga se ha hecho proverbial».

22

23

24

25

26

27

26. Vista general de Almería. Al-Šaqundī nos dice que «es una ciudad que goza de gran fama e importancia. Sus habitantes tienen un carácter ecuánime, su cutis es suave, sus rostros y costumbres encierran una gran belleza y son nobles en el trato y en la amistad [...] Su playa es la más limpia, abierta y hermosa de las playas... Justo es que se haya dicho: He pisado un suelo cuyos guijarros son perlas, la tierra, almizcle, y reyes los jardines».

27. Mezquita de Marbella construida en nuestros días bajo el patrocinio del rey ʿAbd al-ʿAziz al-Saʿūd.

28

29

28, 29, 30, 31, 32, 33. La disposición geográfica de Almería y la fortaleza de sus defensores la convirtieron en una verdadera atalaya en cuyo puerto hallaron refugio los buques de comercio y la escuadra musulmana que, desde aquél y el de Mallorca, ejercieron un dominio prácticamente absoluto del Mediterráneo occidental hasta finales del siglo XI.

30

31

32

33

34

35

34, 35, 36. Contrastes entre distintos paisajes almerienses que, en parte, ya fueron señalados en el siglo XII por Idrisī: «Almería está rodeada, por todas partes, de rocas amontonadas y piedras duras y puntiagudas. No hay en ella polvo, como si hubiesen pasado la tierra por una criba y se hubiera pretendido que su emplazamiento fuera la piedra».

36

37. Al acercarse a Córdoba, el paisaje semidesértico almeriense es sustituido por la fértil campiña andaluza en la que se levantan, en los lugares más abruptos, castillos que indican la dureza de la guerra entre cristianos y granadinos en la Baja Edad Media.

37

38
39

40

38. Córdoba. Un poeta árabe escribió: «Córdoba sobresale entre las otras ciudades por cuatro cosas: por su puente sobre el Guadalquivir y por su Mezquita. Éstas son las dos primeras. El Palacio de al-Zahrā', la tercera. La ciencia, que es lo más importante, la cuarta.»

39. Castillo en cuyos alrededores las tropas catalanas de los condes Ramón Borrell III de Barcelona y Ermengol de Urgel derrotaron a los bereberes (1010) de Sulaymān al-Mustaʿīn.

41

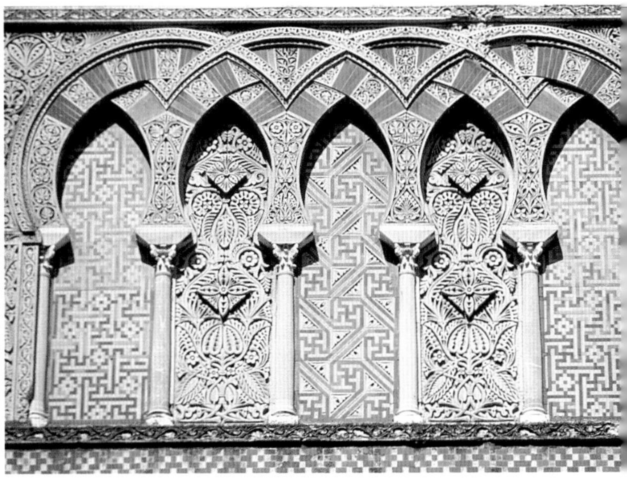

42
43

40, 41, 42, 43, 44, 45, 46, 47, 48, 49, 50, 51, 52, 53, 54. Distintos aspectos de la mezquita de Córdoba, verdadero bosque de columnas que soportan las naves que distintos soberanos fueron añadiendo para acrecentarla al tiempo que aumentaba la población de la ciudad. El edificio que rompe la continuidad del conjunto (53) es la catedral cristiana incrustada en ella en el siglo XVI. En cambio, el Patio de los Naranjos (54) mantiene el encanto de los días en que se construyó. Sobre ella dice, entre otras cosas, Ibn Baškuwāl: «Su longitud... es de 330 codos; su anchura, de oriente a occidente, de 250 codos... Las puertas, entre grandes y pequeñas, 22... recubiertas de latón labrado... Las columnas... entre grandes y pequeñas, son 1409... El mimbar está formado de las maderas más preciosas como ébano, sándalo, cerezo... El número de lámparas de la mezquita... es, sin contar las que están encima de las puertas, de 224... Hay cuatro lámparas grandes colgadas en la galería cubierta central y la que tiene mayor tamaño está colgada en el pabellón mayor... y en ella dicen que hay mil cincuenta y cuatro candilejas». Abū Tammām Gālib b. Rubāḥ dijo sobre estas lámparas: «Mira las lámparas que lucen en la noche a través de los vidrios y verás que arden como si fuesen lenguas de reptiles; se mueven desde el mediodía y no cesan de agitarse».

44

45

46

47

48

49

51

52

53

54

55. De izquierda a derecha y de arriba a abajo: jarra de cerámica del siglo x (Córdoba, Museo de la Excavación de Medina al-Zaḥrā'); jarra de cerámica califal (ídem); arqueta para la sultana Ṣubḥ (Instituto Valencia de Don Juan, Madrid); alhajas de oro (ídem).

56. Plato de cerámica de Medina al-Zaḥrā' (Córdoba); el ciervo de bronce de Medina al-Zaḥrā' visto por sus dos flancos.

57

58

59

60

61

62 63

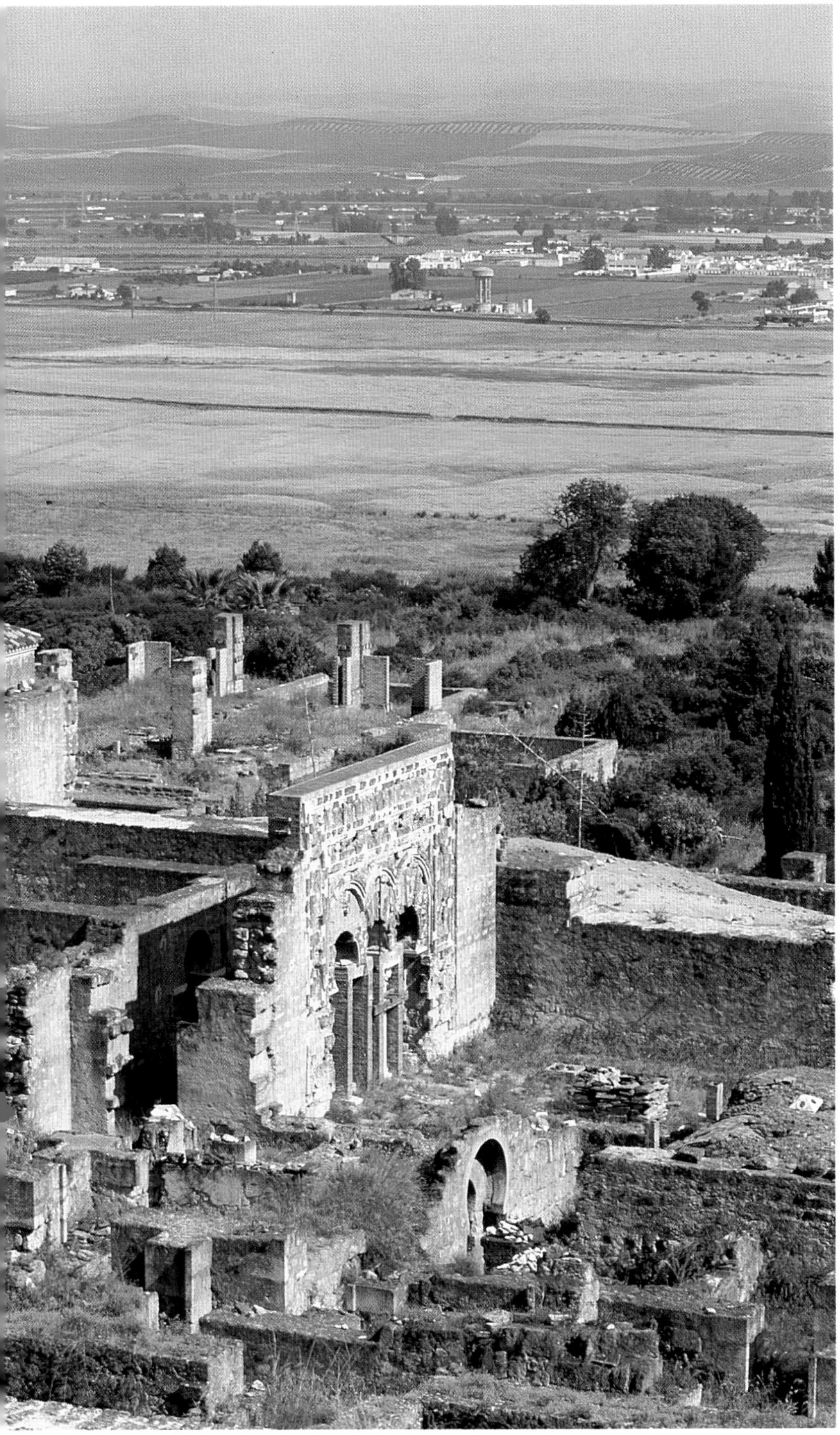

57. Losa de mármol destinada a afeites de tocador
(Instituto Valencia de Don Juan, Madrid).

58. Candil de bronce califal de Medina al-Zaḥrā'
(Instituto Valencia de Don Juan, Madrid).

59. Acetre de cobre (Instituto Valencia de Don Juan, Madrid).

60. Cerámica vidriada de Medina al-Zaḥrā'
(Museo Arqueológico Nacional, Madrid).

61. Ciervo de bronce del siglo x procedente de Córdoba
(Museo Arqueológico Nacional, Madrid).

62, 63, 64, 65, 66, 67, 68, 69. Medina al-Zaḥrā'. Un autor musulmán nos refiere que al morir una esclava de ʿAbd al-Raḥmān III dejó como herencia una importante cantidad de dinero. Una vez comprobó ʿAbd al-Raḥmān que no había ningún musulmán prisionero de los cristianos a quien rescatar, invirtió el legado en la construcción de una ciudad a la que puso el nombre de una de sus esclavas favoritas, al-Zaḥrā'. La blanca ciudad se erigió en la falda de un monte próximo a Córdoba. Cierto día al-Zaḥrā' se quejó al califa de que su ciudad parecía una esclava blanca en el regazo de un esclavo negro. ʿAbd al-Raḥmān hizo plantar por todo el monte almendros para que al florecer taparan su negrura.

64

70

71

70. Averroes (1125-1198). Estatua del español que por su obra científica e intelectual más influyó en el mundo del pensamiento medieval y renacentista.

71. Córdoba. Epitafio del mozárabe Johanes Eximius (Museo Romero de Torres).

72

73

72. Córdoba. Noria. Sobre estas máquinas escribió el valenciano
Ibn al-Abbār (m. 1260): «¡Por Dios! Es una noria que asemeja
una esfera celeste si bien en ella no se eleva astro alguno,
Pusiéronla sobre el río unas manos que decidieron,
Que alegrara a las almas mientras ella se fatiga.
Parece un hombre libre que está encadenado,
O bien un cautivo que corre en libertad.
Asciende y baja por ella el agua,
Como la nube, que bebe en los mares
y luego vierte el agua
Los ojos la aman, pues el jardín es su comensal
y ella copero que no bebe.»

73. El primer emir independiente, ʿAbd al-Raḥmān I al-Dājil,
recitó sobre una palmera de la Ruzafa:
«Creciste en una tierra en la que eres extranjera,
Tú y yo somos iguales en el alejamiento y la separación.»

-74

75

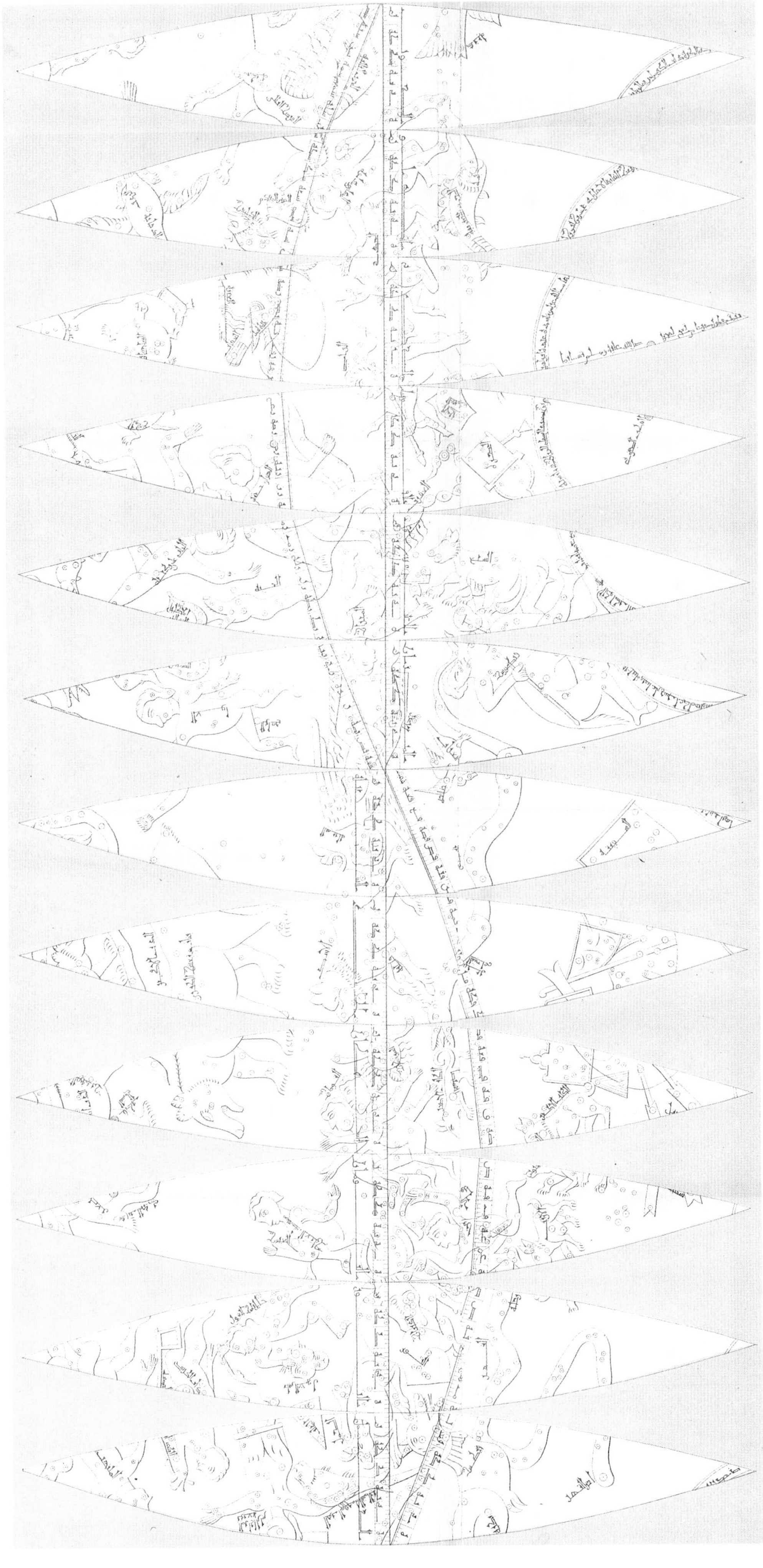

74. De izquierda a derecha y de arriba a abajo: plato de loza de Elvira (Museo Arqueológico de Granada); bote de marfil de Zamora del siglo x (Museo Arqueológico Nacional, Madrid); arqueta de Palencia (Museo Arqueológico Nacional, Madrid); brasero de azófar (cobre) (Museo Arqueológico de Córdoba).

75. Globo celeste árabe de Ibrāhīm b. Sahl al-Sahlī (473/1081) (Istituto e Museo di Storia della Scienza, Florencia).

76

76. Paisaje cordobés.

77. Almodóvar del Río. Castillo construido inicialmente por los musulmanes y remozado por los cristianos en el siglo XIV.

77

78

78. Castillo de Baños de la Encina (Jaén)
cuya construcción se remonta al año 986.

79. Jaén. Según al-Šaqundī «es el castillo de la tierra de al-Andalus, porque sus guerreros son los más valientes y ella misma es inexpugnable. Quisieron conquistarla los ejércitos cristianos entre una u otra guerra civil, pero la encontraron más lejana que la estrella Cabra y más inalcanzable que los huevos de alimoche. En ella hay sabios poetas y se le llama "Jaén de la seda" porque muchos de sus habitantes, del campo y de la ciudad, se dedican a criar gusanos de seda».

80

81

80. Baños árabes de Jaén.

81. Pendón almohade caído en manos cristianas en la batalla de las Navas de Tolosa (1212) (Monasterio de las Huelgas, Burgos). Sobre este combate el poeta Ibn al-Dabbāg de Sevilla escribió:

«¡Cuántos me dicen!: Te veo pensativo
Como si estuvieras haciendo cuentas.
Y yo respondo: Pienso en las causas
Que motivaron el combate de las Navas.
En al-Andalus ya no nos queda refugio
Pues el país va siendo ocupado por todos lados.»

82. Castillo de la Iruela.

82

83

83. Cazorla con su castillo (Jaén).

84

84. Mérida se sublevó reiteradamente contra los emires omeyas, quienes tuvieron que construir un alcázar (835) para domeñar a los habitantes, en su mayoría mozárabes. A pesar de esto las rebeliones continuaron hasta finales del siglo IX. El puente romano que cruza el Guadiana fue restaurado varias veces.

85

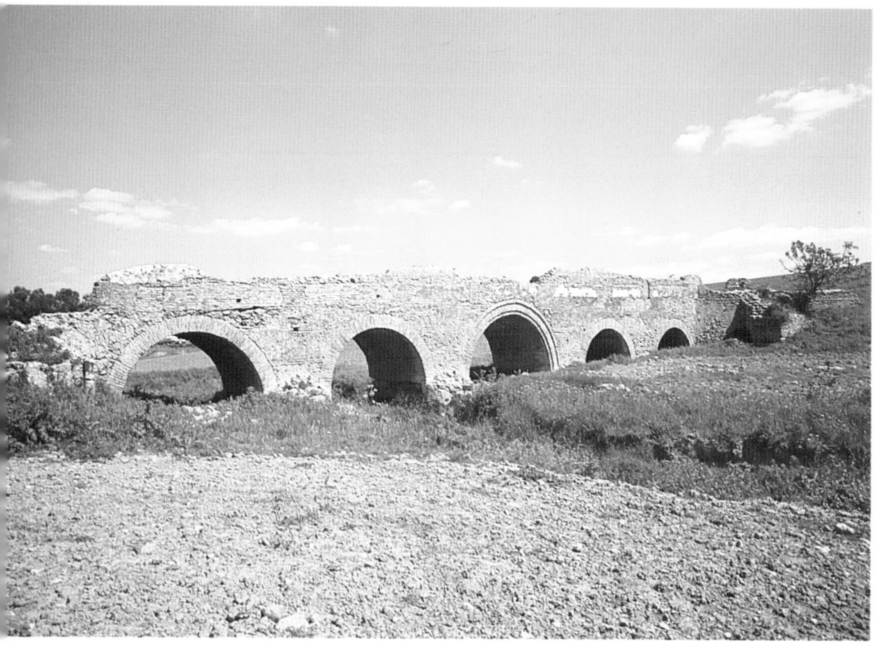

87

86

85. Puente romano de Carmona (Sevilla).

86. Alcazaba árabe de Carmona junto a los muros romano y medieval.

87. Puerta romana de Carmona.

88. Vista general de Sevilla con la catedral y su torre, La Giralda, en primer término.

89

90

91

89. Llaves de la ciudad de Sevilla entregadas a san Fernando (catedral).

90. Sepulcro de san Fernando con las inscripciones hebreas y árabes que figuran en el mismo.

91. Detalle de La Giralda.

92. Patio de los Naranjos (Sevilla) que da acceso a la catedral construida sobre los restos de la antigua mezquita.

92

93

93, 94. Sevilla vista desde los balcones de La Giralda.

94

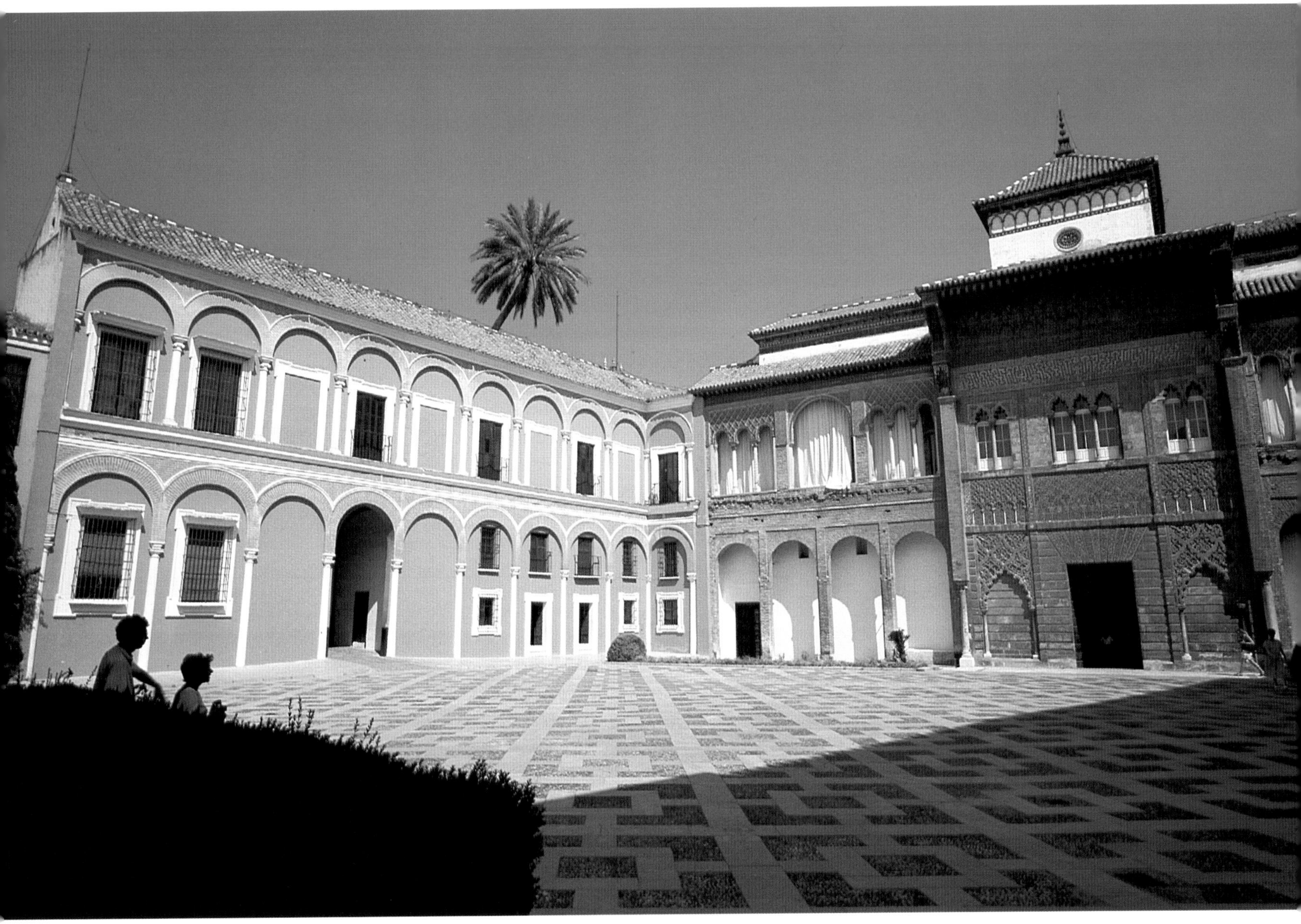

95. Patio de la Montería de los Reales Alcázares de Sevilla.
A la derecha, fachada del palacio del rey don Pedro.

96
97

98

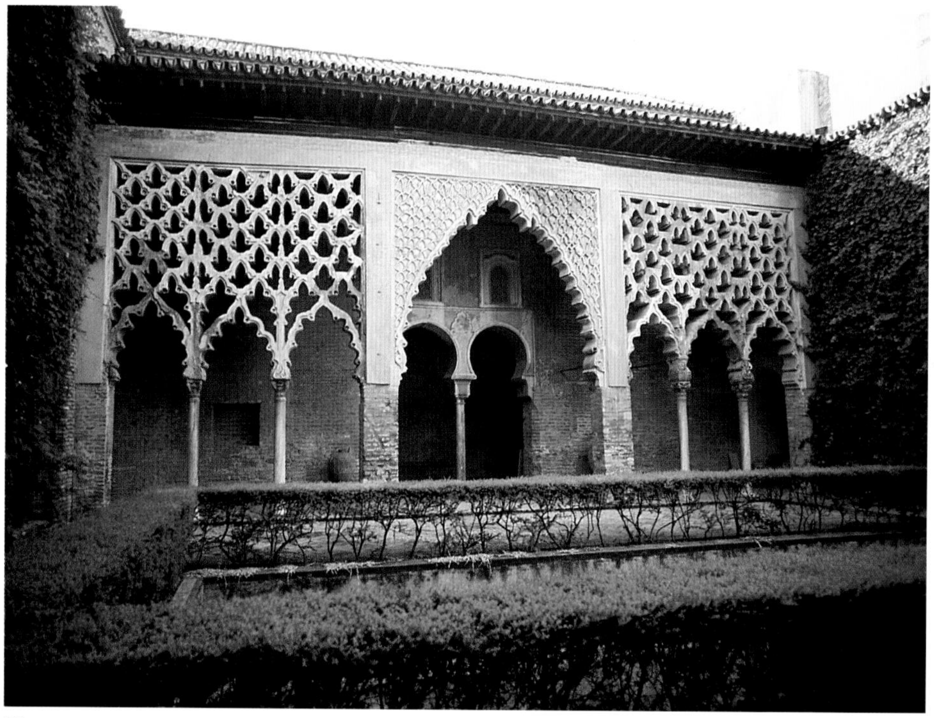

99

96, 97, 101. El interior del Alcázar de Sevilla revela el predominio de ornamentación mudéjar en un palacio que era la residencia de reyes cristianos a finales de la Edad Media.

98. Patio de las Doncellas del Alcázar de Sevilla.

99. Patio de Yeso del Alcázar de Sevilla.

100

101

100. Patio de las Muñecas del Alcázar de Sevilla.

102. Salón de Embajadores del Alcázar de Sevilla.

103. Cúpula del Salón de Embajadores del Alcázar de Sevilla.

103

104

104, 105. Jardines
del Alcazar de Sevilla.

105

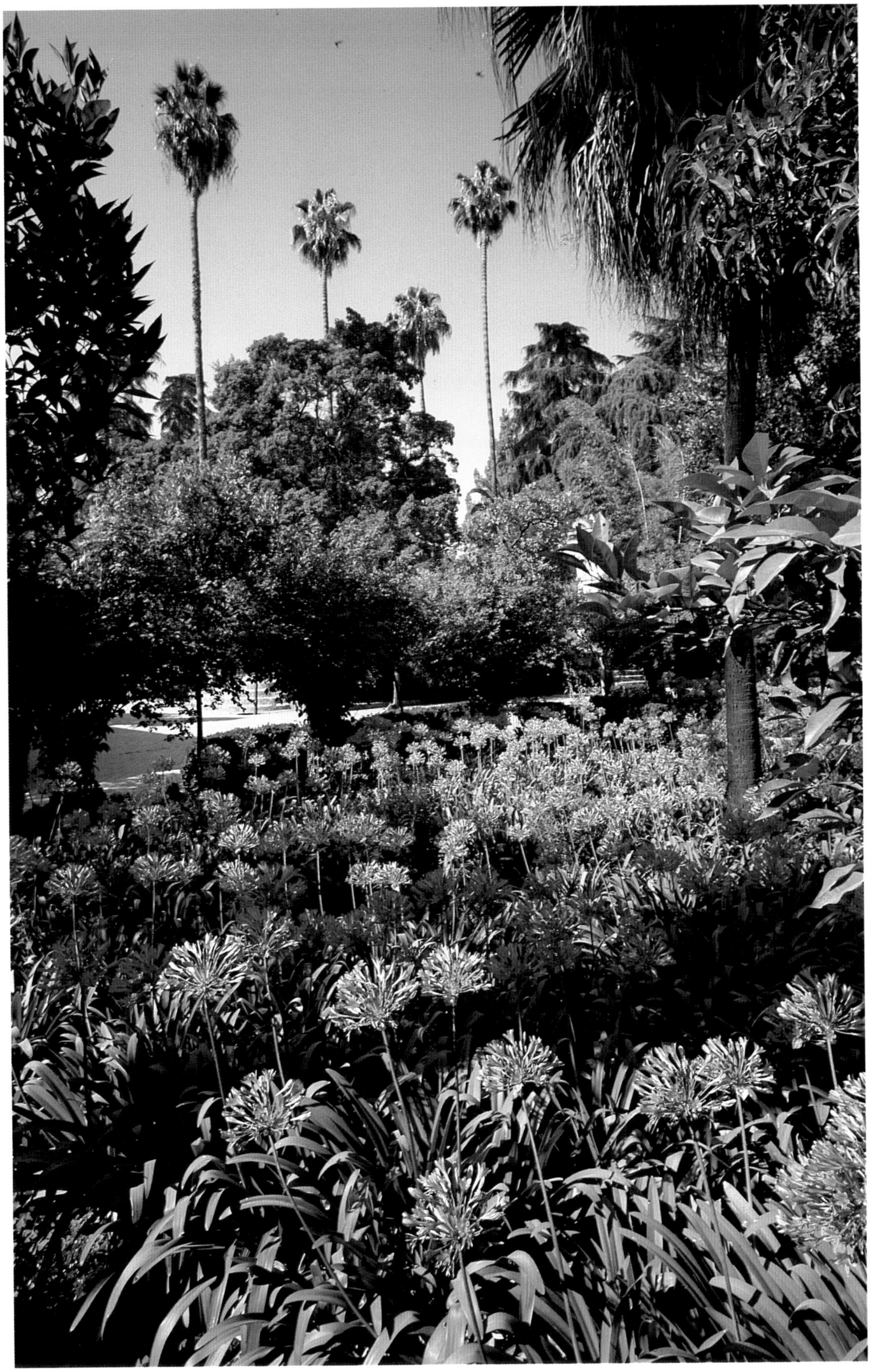

106

107

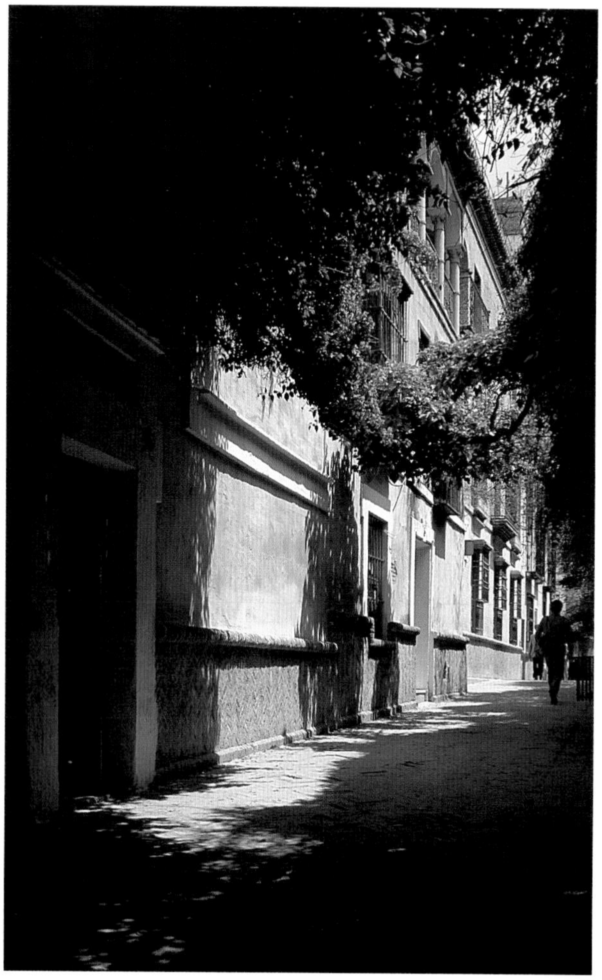

108

109

106. Puerta del Perdón, Sevilla.

107, 108. El trazado de las calles de los barrios antiguos de Sevilla apenas difiere del que tenía en la época musulmana.

109. Fragmento de almaizar (Instituto Valencia de Don Juan, Madrid).

110. Torre del Oro, construida en la época almohade como defensa avanzada de la ciudad ante posibles atacantes que procedieran del río.

110

111

112

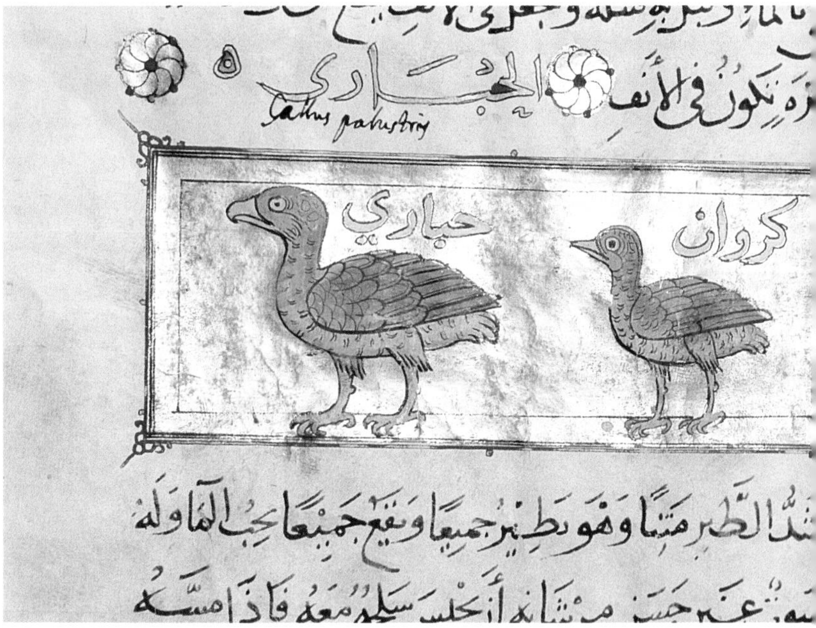

113

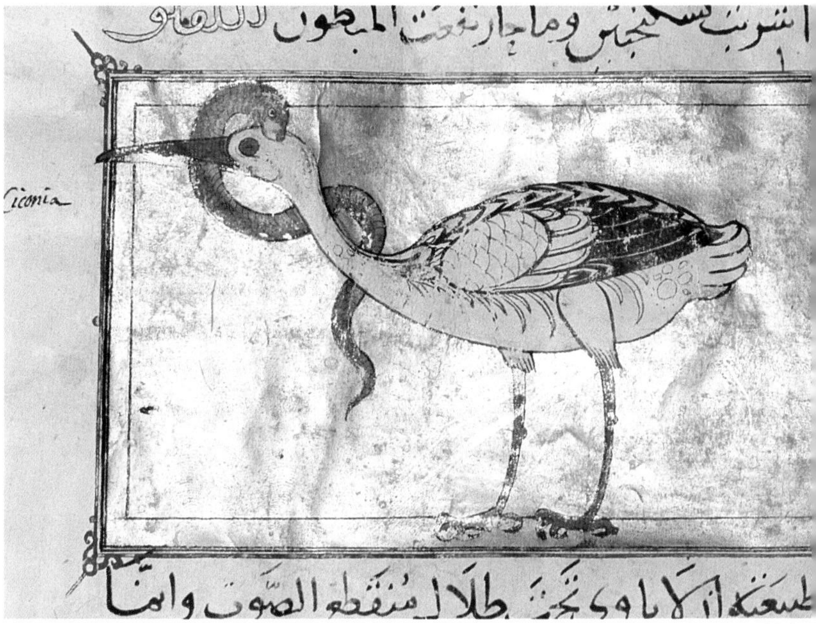

114

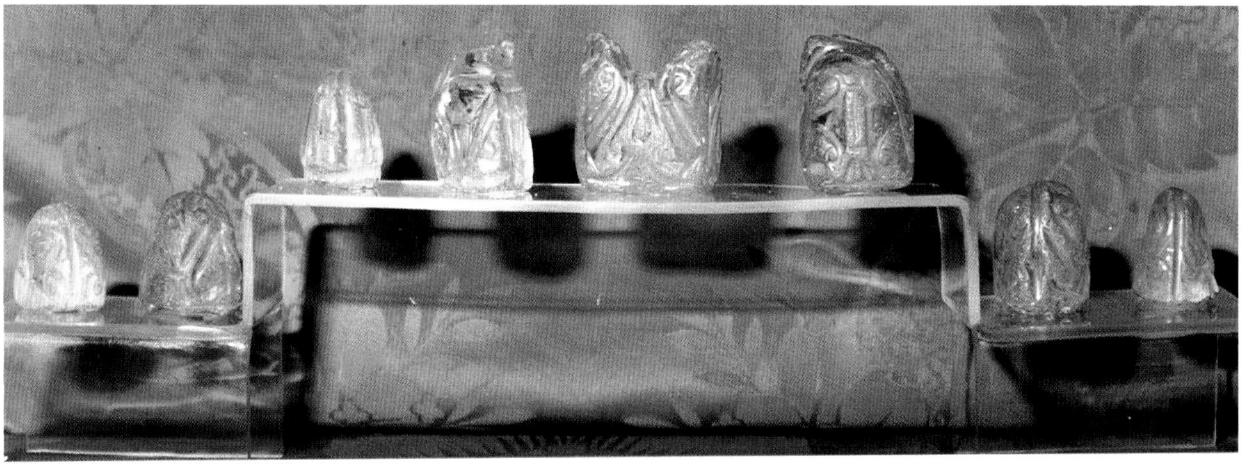

115

116

111, 112, 113, 114. Ilustraciones del libro sobre «Las utilidades de los animales» siglo XIV (manuscrito 898 de la Biblioteca de El Escorial de Ibn al-Durayhim al-Mawṣulī).

115. Piezas de ajedrez talladas en cristal de roca. (Palacio episcopal de Orense).

116. Manuscrito árabe ilustrado con figuras humanas y que contiene anécdotas de la vida en las fronteras de la Arabia preislámica.

117

117. Manuscrito que contiene narraciones basadas en el Antiguo Testamento, aceptado en El Corán como libro revelado por Dios.

118. Página de la traducción castellana, mandada hacer por el rey Alfonso X el Sabio, de las Tablas de al-Battani (Bibliothèque Nationale, París).

Tabla de los archos ⁊ de los sinos

Los archos a cada med' grado				Los medios de las cuerdas		
				grados	minutos	segundos
0	30	179	30	0	31	25
1	0	179	0	1	1	50
1	30	178	30	1	34	54
2	0	178	0	2	6	38
2	30	177	30	2	37	2
3	0	177	0	3	8	25
3	30	176	30	3	39	46
4	0	176	0	4	11	8
4	30	175	30	4	42	27
5	0	175	0	5	13	46
5	30	174	30	5	45	8
6	0	174	0	6	16	18
6	30	173	30	6	47	32
7	0	173	0	7	18	45
7	30	172	30	7	49	54
8	0	172	0	8	21	2
8	30	171	30	8	52	7
9	0	171	0	9	23	10
9	30	170	30	9	54	10
10	0	170	0	10	25	8
10	30	169	30	10	56	3
11	0	169	0	11	26	55
11	30	168	30	11	57	43
12	0	168	0	12	28	29
12	30	167	30	12	59	11
13	0	167	0	13	29	49
13	30	166	30	14	0	25
14	0	166	0	14	30	55
14	30	165	30	15	1	22
15	0	165	0	15	31	46

Los archos a cada md' grado				Los medios de las cuerdas		
				grados	minutos	segundos
15	30	164	30	16	2	4
16	0	164	0	16	32	18
16	30	163	30	17	2	27
17	0	163	0	17	32	33
17	30	162	30	18	2	32
18	0	162	0	18	32	27
18	30	161	30	19	2	38
19	0	161	0	19	32	3
19	30	160	30	20	1	42
20	0	160	0	20	31	16
20	30	159	30	21	0	45
21	0	159	0	21	30	55
21	0	158	30	21	59	25
22	0	158	0	22	28	35
22	30	157	30	22	57	39
23	0	157	0	23	26	38
23	30	156	30	23	55	30
24	0	156	0	24	24	25
24	30	155	30	24	52	55
25	0	155	0	25	21	25
25	30	154	30	25	49	7
26	0	154	0	26	28	8
26	30	153	30	26	46	19
27	0	153	0	27	44	22
27	30	152	30	27	42	18
28	0	152	0	28	10	6
28	30	151	30	28	37	46
29	0	151	0	29	0	19
29	30	150	30	29	32	44
30	0	150	0	30	0	0

Los archos a cada medio grado				Los medios de las cuerdas		
				grados	minutos	segundos
30	30	149	30	30	27	8
31	0	149	0	30	54	8
31	30	148	30	31	21	0
32	0	148	0	31	47	43
32	3	147	30	32	14	17
33	0	147	0	32	40	42
33	30	146	30	33	6	48
34	0	146	0	33	33	6
34	30	145	30	33	59	3
35	0	14	0	34	24	53
35	30	143	30	34	44	32
35	0	143	0	35	56	2
37	3	143	30	35	41	22
38	0	142	0	36	6	32
38	30	141	30	36	31	32
39	0	141	0	36	56	23
39	30	140	30	37	21	3
40	140	0		37	45	34
40	30	139	30	38	9	13
41	0	139	0	38	34	2
41	30	138	30	38	58	1
42	0	138	0	39	21	49
42	30	137	30	39	45	26
43	0	137	0	40	8	52
43	30	136	30	40	32	28
				40	55	52
				41	18	4
44	0	136	0	41	40	46
44	30	134	50	42	3	56
45	0	135	0	42	25	35

120

119. Castillo de los Agregadores o Aguazaderas, construido en 1381 cerca de El Coronil.

120. Torre de vigía árabe cerca de la carretera de Montellano (Sevilla).

121

122

123

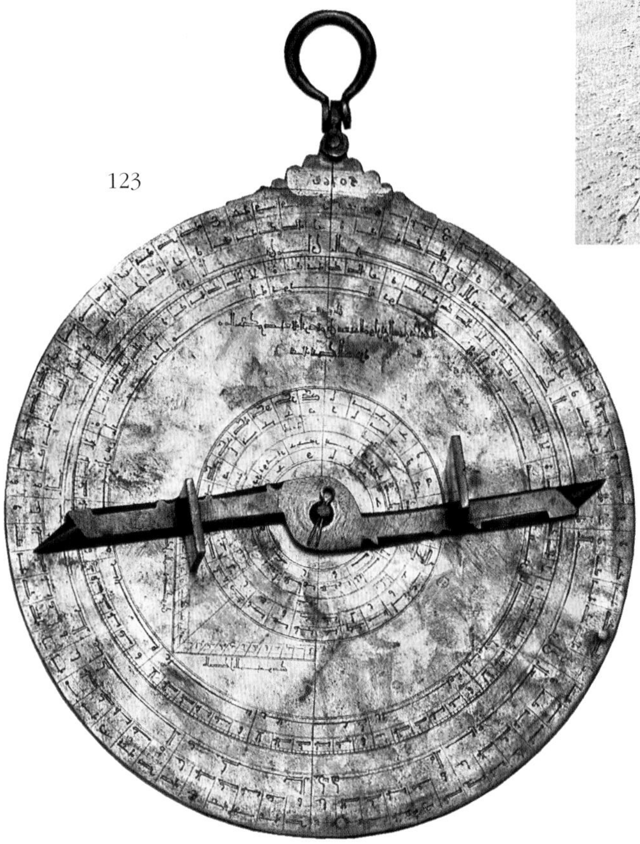

121. Puerta de Cambrón (Toledo).

122. Puente de Alcántara (Toledo).

123. Astrolabio de Ibrāhīm b. Saʿīd al-Sahlī (Museo Arqueológico Nacional, Madrid).

124. Vista general de Toledo.

124

125

126

127

125. Zamora, ciudad fronteriza en el siglo IX ante la cual fracasaron los esfuerzos de los musulmanes heterodoxos para apoderarse de ella y poder enfrentarse, según sus conveniencias, con los emires de Córdoba o los cristianos del norte.

126. Bordado del Arca de San Isidoro con motivos animales con fuerte influencia oriental (Museo de San Isidoro, León).

127. Convento-castillo de Calatrava la Nueva. Sus monjes-soldados contribuían a defender la frontera recién conquistada y protegían así a los repobladores cristianos que se instalaban en las tierras vacías situadas al norte. Una serie de pequeñas fortalezas, más avanzadas, permitían dar la señal de alarma con antelación suficiente para que los colonos pudieran refugiarse detrás de sus murallas.

128

128. Restos del castillo de Calatañazor, en cuyos alrededores, según la leyenda, Almanzor fue derrotado por una confederación de reyes cristianos. Textos descubiertos recientemente demuestran que el caudillo musulmán, enfermo ya al empezar su última expedición, murió a consecuencia de una enfermedad intestinal.

129. El puente de Piedra y la basílica del Pilar, Zaragoza.

130

131

132

130, 131, 132. Durante el siglo XI, Zaragoza fue la capital de un importante reino de taifas, con frecuencia unido al de Lleida, cuyos príncipes quisieron emular a los omeyas construyendo el gran palacio de la Aljafería.

133. Alberca y arquerías polilobuladas del pórtico norte de la Aljafería. 1065-1110. Zaragoza.

135
136

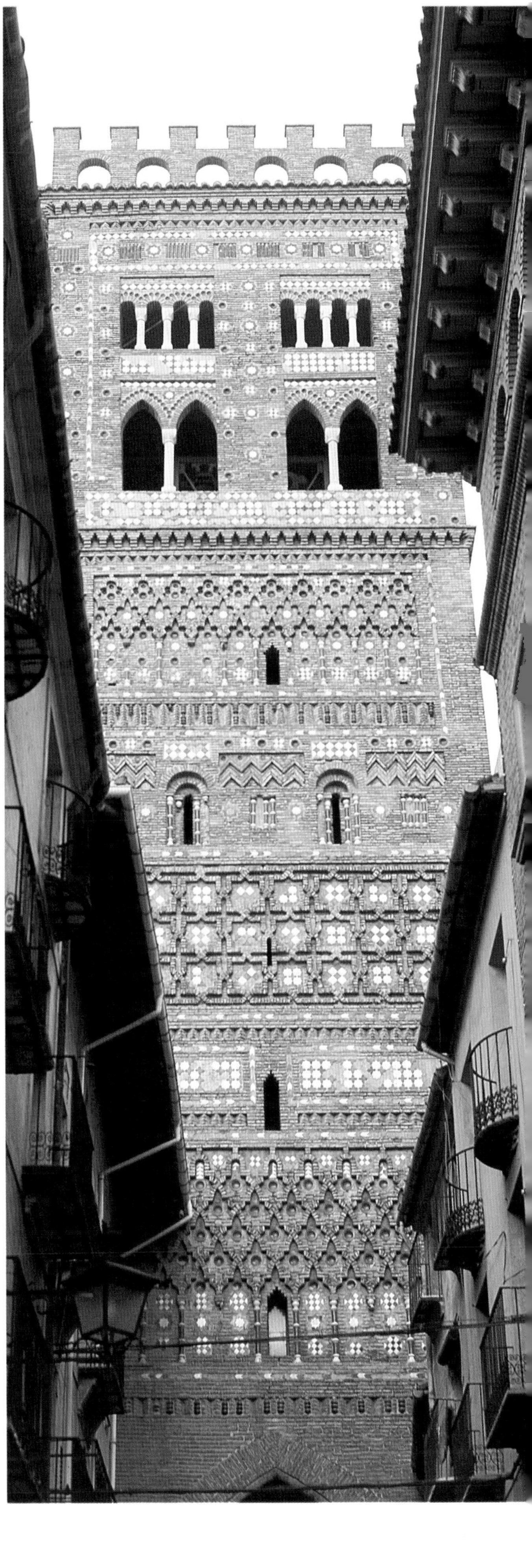

137

134. Arcos mixtilíneos de las yeserías del oratorio de la Aljafería, Zaragoza.

135, 136. Yesería y cúpula del oratorio de la Aljafería, Zaragoza.

137. Torre mudéjar de Teruel, ciudad que se caracteriza por la gran cantidad de construcciones de este estilo.

131

140

138. De izquierda a derecha y de arriba a abajo: medida para líquidos (c.s. XI) (Museo Arqueológico, Zaragoza); jarra de mediados del siglo X; candil árabe de alrededor del año 1000; olla califal; jarrón de época taifa.

139. De izquierda a derecha y de arriba abajo: adornos florales propios de la arquitectura del siglo XI (Museo Arqueológico, Zaragoza); arqueta de marfil de ʿAbd al-Malik (principios del siglo XI) y detalle de la misma (Museo de Pamplona); tres detalles de la catedral de Tudela, de influjo oriental.

140. Albarracín (Teruel), capital del reino taifa bereber durante el siglo XI.

141. Iglesia de San Lorenzo (Lleida) construida sobre el antiguo emplazamiento de una mezquita.

142. Baptisterio de la basílica paleocristiana de Barcelona destruida por Almanzor en la campaña del 885.

143. Caja de madera, chapada en plata dorada, de al-Ḥakam II (961-976) (catedral de Girona).

141

142

143

144, 145. Azafea inventada por el toledano Azarquiel que permite realizar los mismo cálculos que con las múltiples láminas de los astrolabios utilizando una sola (Museo de la Academia de Ciencias, Barcelona).

146. Calendario de Córdoba (siglo x) según uno de los ejemplares recientemente encontrados en la catedral de Vic (Barcelona).

147. (La primera cifra indica la línea; la segunda, la columna). 1,1 y 2,1 dirhem de ʿAbd al-Raḥmān I; 1,2 y 2,2 anverso y reverso de un dirhem de ʿAbd al-Raḥmān I (760); 1,3 y 2,3 anverso y reverso de un dirhem de plata de al-Ḥakam I (813); 3,1 y 4,1 anverso y reverso de una dobla del siglo XIII; 3,2 y 4,2 anverso y reverso de un dinar de Hišām II; 3,3 y 3,4 anverso y reverso de un mancuso de oro acuñado por el judío Bonhom de Barcelona; 4,3 dirhem de plata; 4,4 dinar de oro de Almanzor (Museo de Historia de la Ciudad y Gabinete Numismático, Barcelona).

144

145

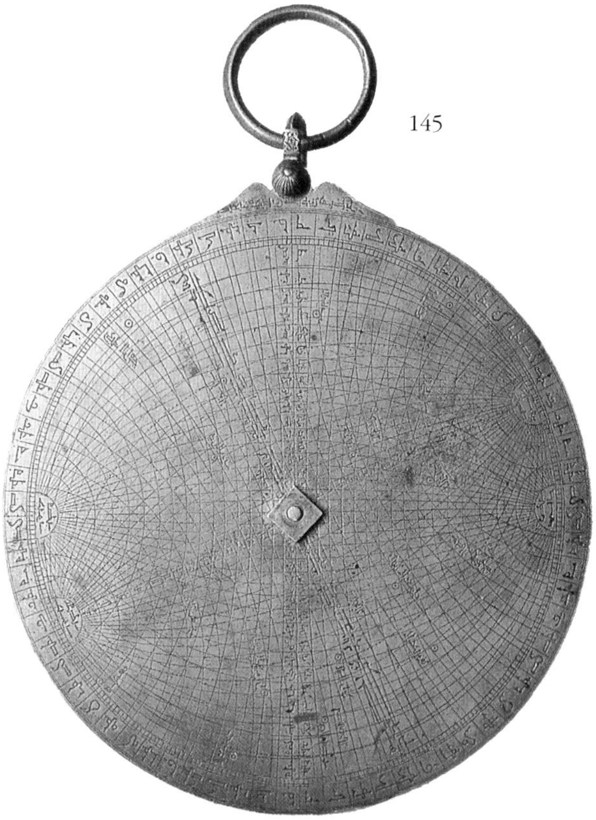

147

146

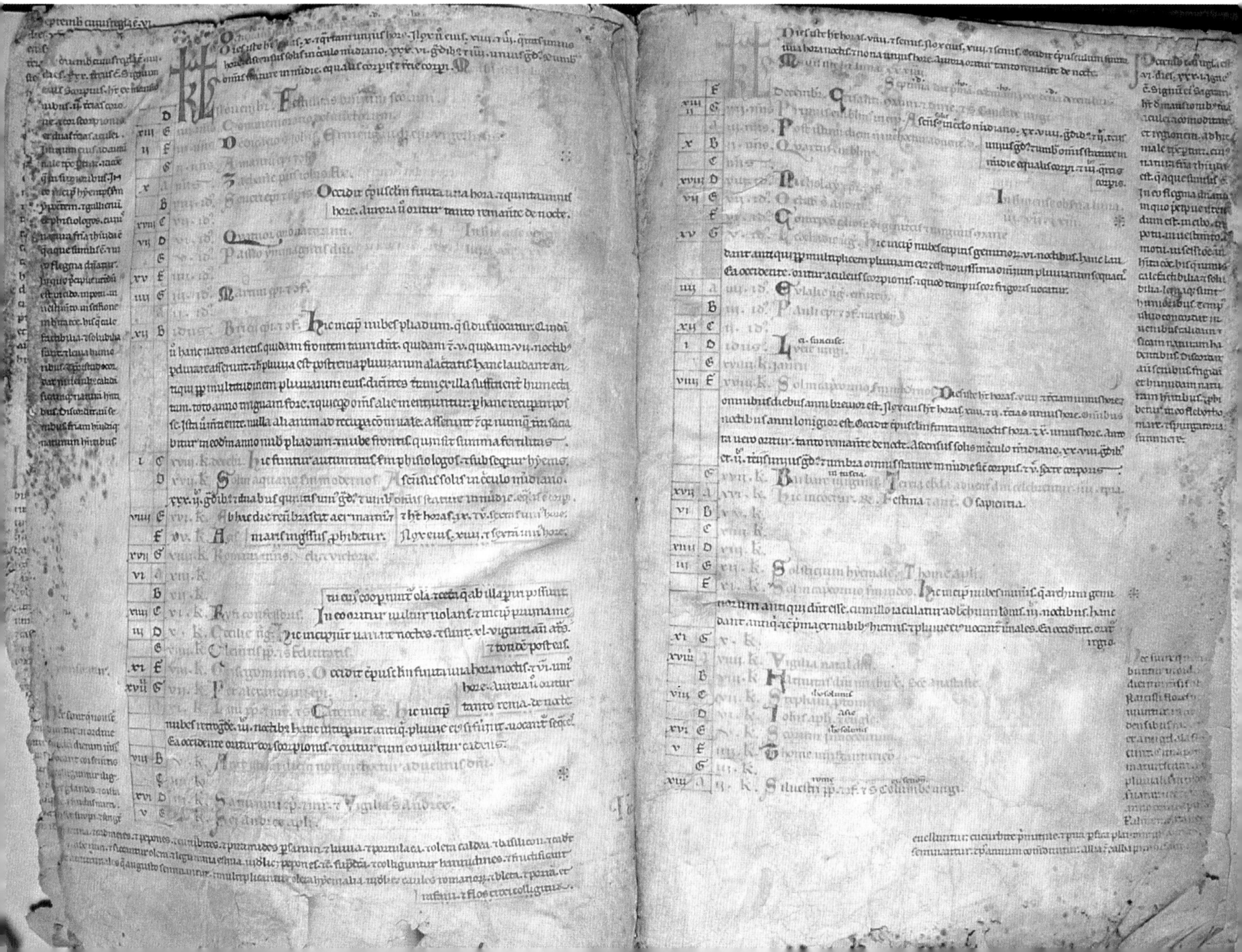

148

149
150

148. Inscripción conmemorativa de las construcciones realizadas por Ŷaʿfar (960), probablemente en la mezquita de Tortosa, por mandato de ʿAbd al-Raḥmān III.

149. Torre de la Almudena (Tortosa).

150. Lápida conmemorativa de las atarazanas de Tortosa por ʿAbd al-Raḥmān III (944). Se encuentra incrustada en el muro exterior norte de la catedral de Tortosa.

151

152

151. Vista parcial de Tortosa.

152. Torre de vigía, almenara o atalaya en las costas de Mallorca.

153

153, 154. Fresco de la conquista de Mallorca por Jaime I, encontrado en la calle de Montcada de Barcelona (Museu Nacional d'Art de Catalunya, Barcelona).

154

155

155. Almudaina y catedral de Palma de Mallorca.

156, 157, 158. Detalles de la Almudaina (Mallorca).

156
157

158

159, 160. Lámina universal inventada en el siglo XI por el toledano ʿAlī b. Jalaf. El ejemplar representado fue construido en Tāzà (Marruecos) en el año 1327 (Museo de Historia de la Ciencia de Oxford).

161. Texto de un manuscrito astronómico que trata sobre eclipses.

162. Fragmento de un manuscrito que contiene un catálogo de estrellas (en color rojo horizontal, nombre de las constelaciones y, debajo, en negro, el de las estrellas).

163. Carta náutica árabe (c. 1330) conservada en la Biblioteca Ambrosiana de Milán. La fotografía, tomada lateralmente, distorsiona algo el perfil de las costas.

159

160

161

162

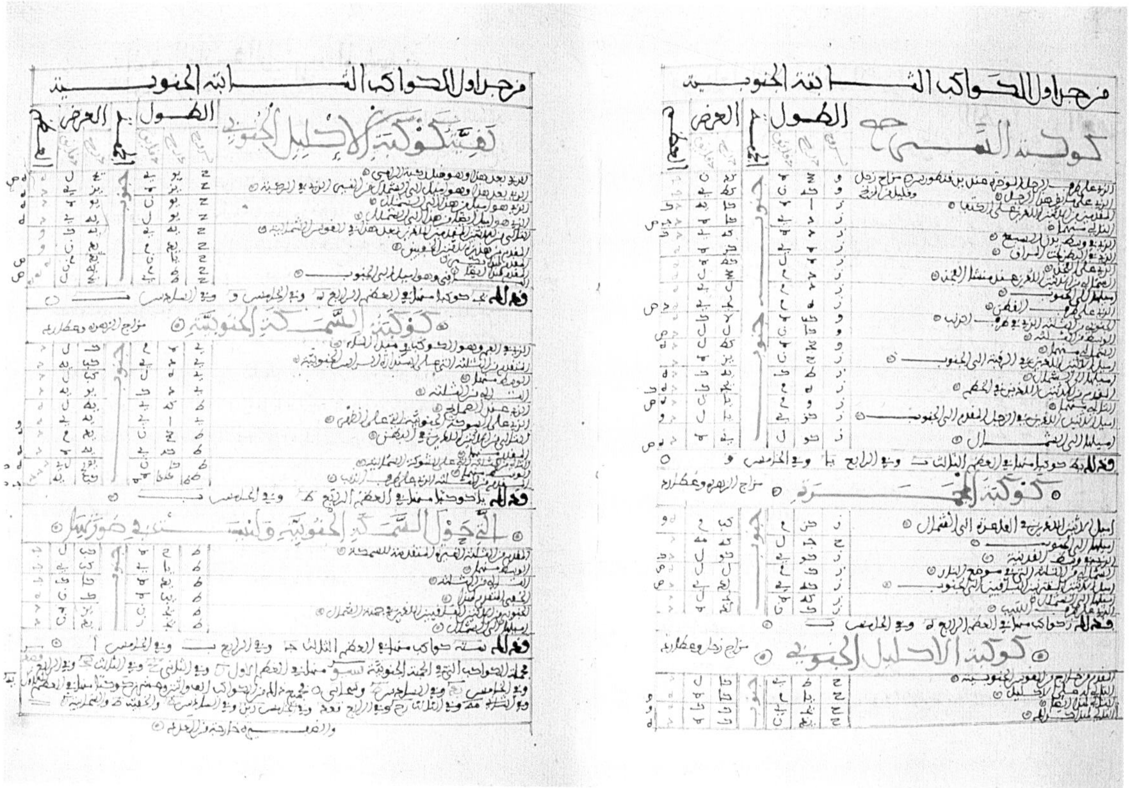
جدول الكواكب الثابتة الجنوبية
العرض الطول

جدول الكواكب الثابتة الجنوبية
العرض الطول

165

166

164. Castillo de Xàtiva, en el cual aún se encuentran restos árabes.

165. Torres de Serrano (Valencia), antigua puerta de la ciudad construida por Jaime el Conquistador en 1238, poco después de la Reconquista. Las torres laterales fueron añadidas posteriormente.

166. Naranjos de la huerta de Valencia. Árbol muy apreciado por los árabes, fue cantado por numerosos poetas.

167. Vista general de Almuñécar, desde donde se divisa la antigua alcazaba y un castillo de origen musulmán.

168

169

170

168. Bronces de Elvira, cerca de Granada (Museo Arqueológico, Granada).

169, 170. Antigua capital de provincia nazarí.

171. Granada. Baño del Nogal, sala templada.

172

172. Aspecto de la ciudad cavernícola de Guadix, que durante algunos años disputó a Granada la capitalidad del reino nazarí.

173

174

173, 174. Manto y espada atribuidos a Boabdil (Museo del Ejército, Madrid).

175, 176, 177. Astrolabio esférico (1480) y astrolabio-ecuatorio (finales del siglo XV) (Museum of the History of Science, Oxford).

178, 179. Sexagenario, el último instrumento astronómico árabe (mediados del siglo XV), introducido en Europa a través de España (Museum of the History of Science, Oxford).

175

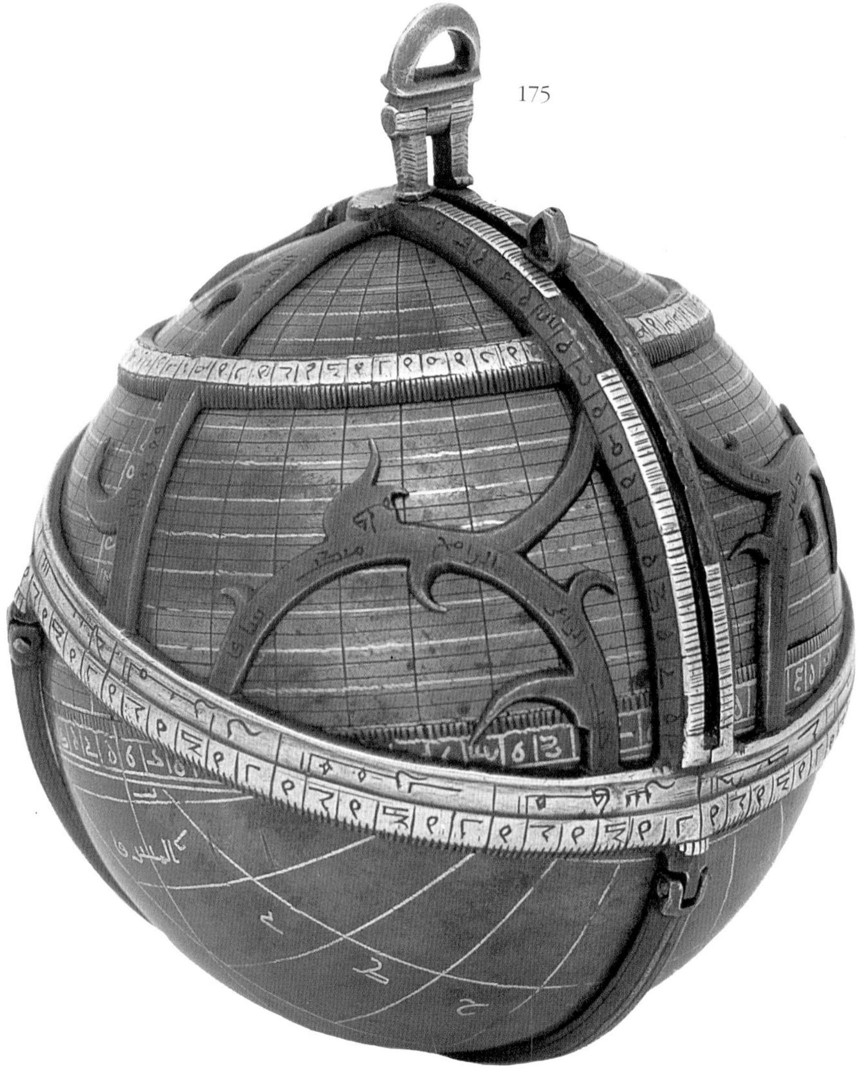

176

177

AQVARIVS
CAPRICORNVS
PISCES
ARIES
TAVRVS
ORIENS
BOETES
LVPVS
SCORPIVS
LIBRA
CANCER
LEO
VIRGO

178

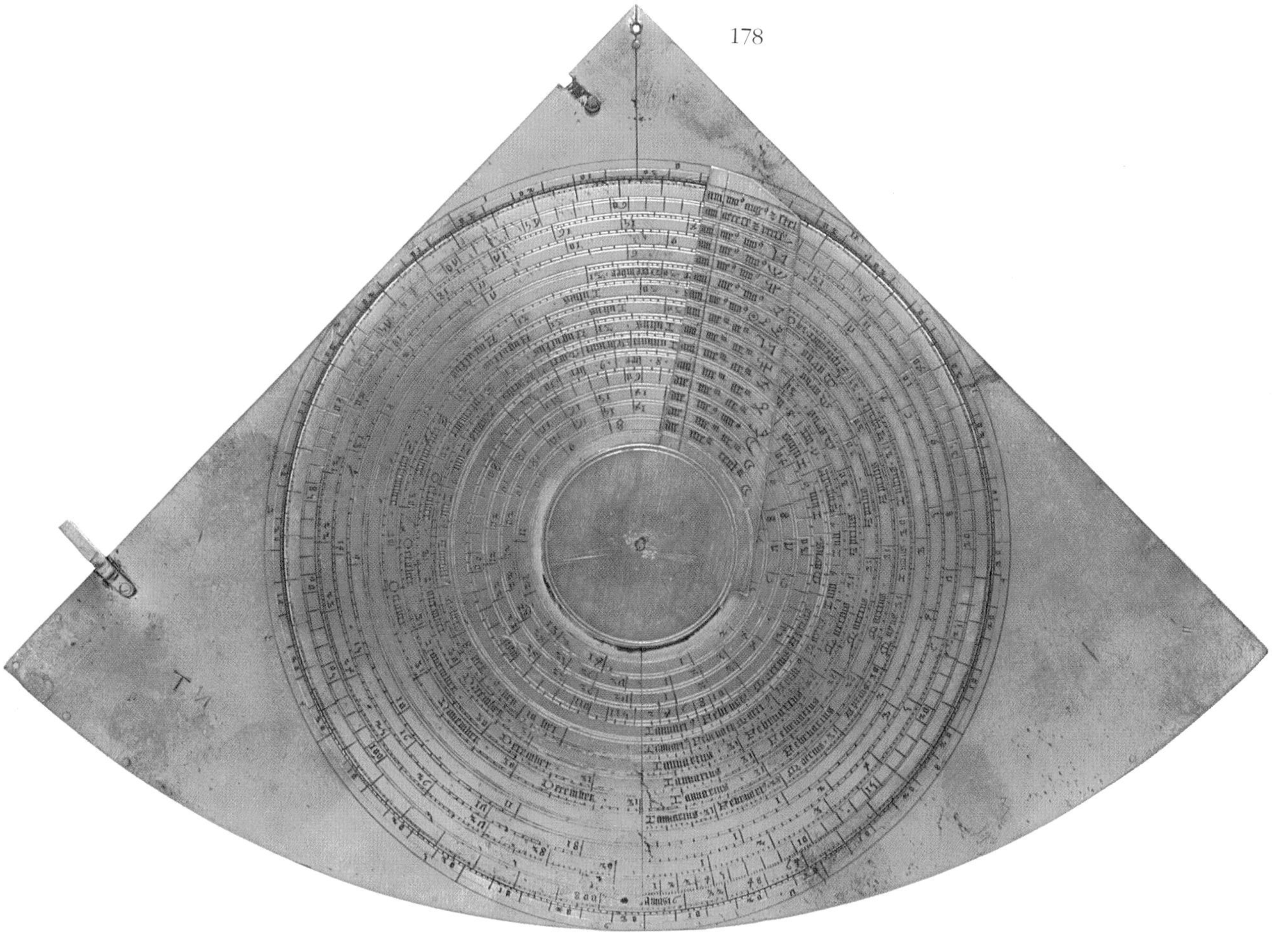

179

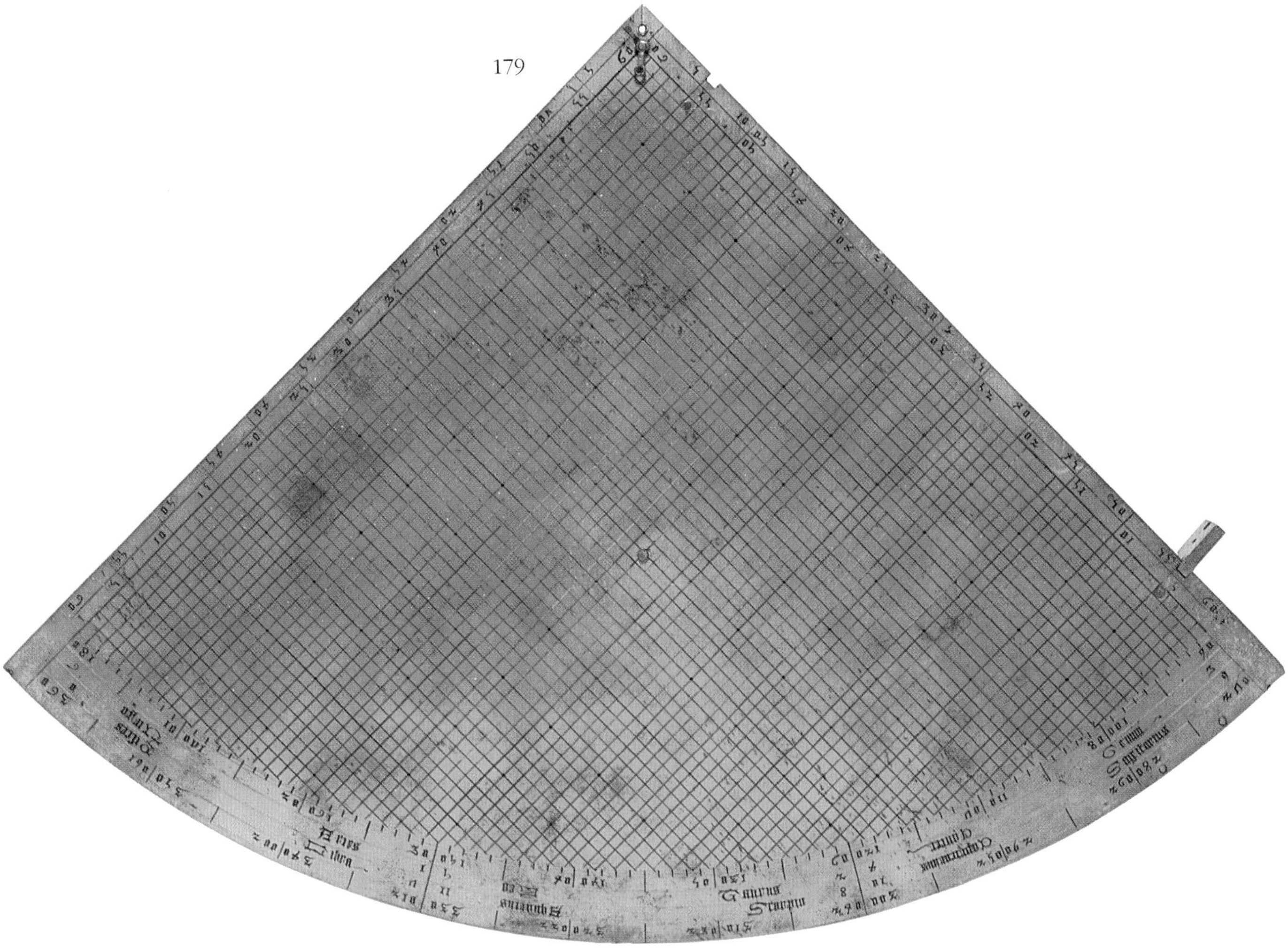

POLI

DE ANDALUCIA
mento
Restauración
jeria
de Cultura

186

2-183-184-185

180. Arriba: astrolabio de Aḥmad b. Muḥammad al-Naqqaš (Zaragoza, 1080); abajo: astrolabio de al-Shal al-Nisaburī (Hamā, 1299) (Germanisches Nationalmuseums, Nuremberg).

181. Torquetum del Hessisches Landesmuseum (Kassel, c. 1590).

182, 183, 184, 185. Distintas vistas de Granada. Al-Šaqundī califica a Granada como «el Damasco de al-Andalus». Resalta el que su río discurra por entre sus casas, baños, zocos y jardines y que, ademas de tener grandes sabios y excelentes poetas, sea la ciudad de poetisas tan notables como Nazhūn al-Qalāʿiyya, Zaynab bint Ziyād y Ḥafṣa bint al-Ḥāŷŷ.

187

188

189

186, 187, 188, 189. Alhambra, vista general y algunos detalles de la misma.

190. Cúpula de mocárabes de la sala de los Abencerrajes de la Alhambra.

190

191

192
193

193. Pila de mármol con decoración zoomórfica (Museo Arqueológico, Granada).

194. Vaso de cerámica policroma típica de la época nazarí (Museo Arqueológico, Granada).

191, 192, 195. Detalles de la Alhambra.

194

195

196

197

198

196, 197, 198. Patio de los Leones en la Alhambra, en cuyo tazón están esculpidos doce versos. Aquí, como en casi todo el resto del Palacio, la caligrafía y la poesía árabes se transforman en útiles ornamentales.

200

201

99

200. Fachada del palacio de Comares de la Alhambra.

199. Detalles de la Alhambra.

201. Fachada del cuarto Dorado de la Alhambra.

202

203

202, 203. Vistas de Granada desde la Alhambra.

204. Interior de la sala de las Dos Hermanas de la Alhambra.

205. Torre de Comares y patio de los Arrayanes de la Alhambra.

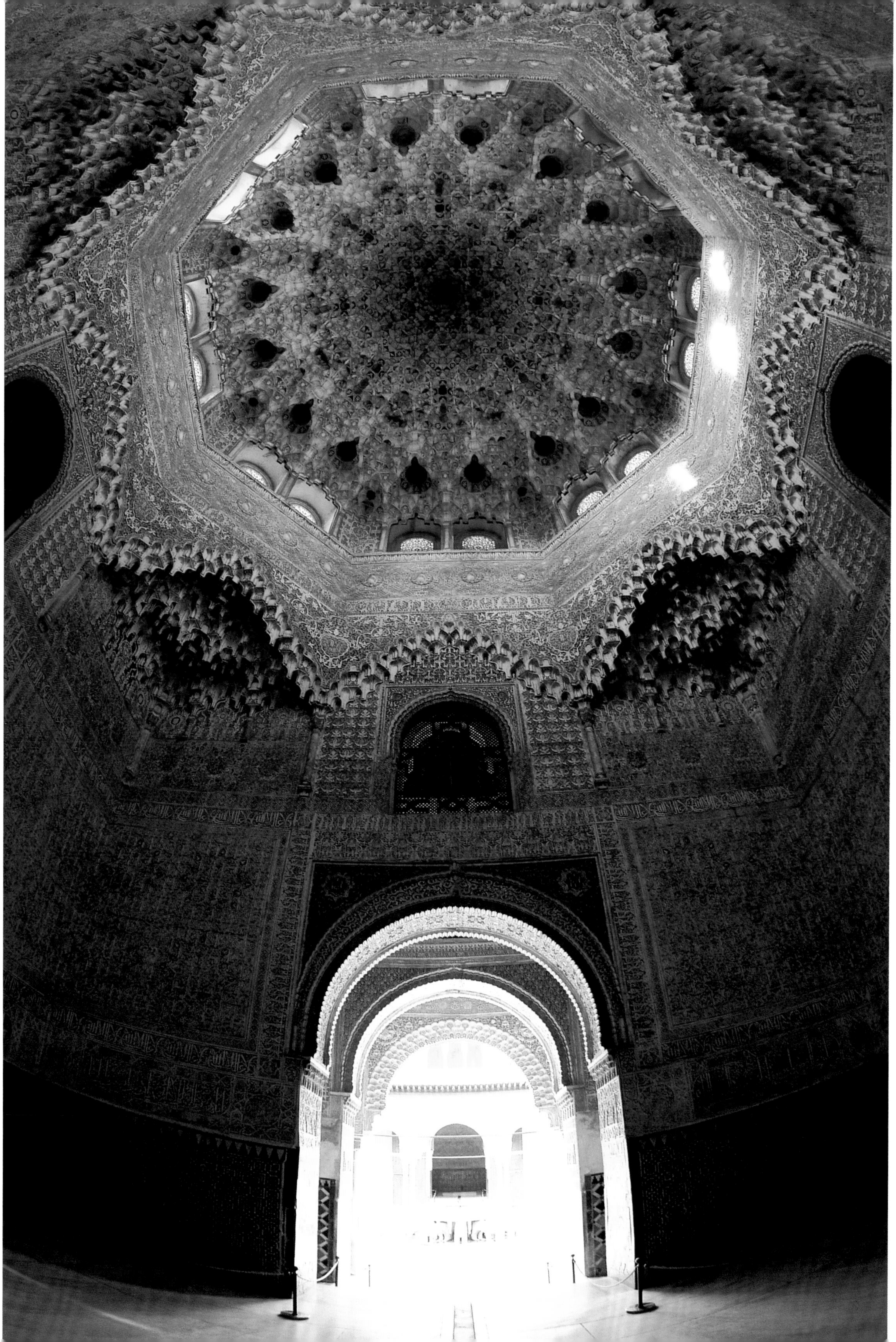

206

206. Cripta del palacio de Carlos V de la Alhambra.

207

207. La Alcazaba de la Alhambra.

208

209

208, 209. Jardines del Generalife, lugar de recreo de los sultanes nazaríes en verano.

210

210. Pórtico y alberca del Portal de la Alhambra.

211. Vista general de la Alhambra.

212

212, 213. La Alpujarra, último lugar donde los mudéjares
y moriscos resistieron a las fuerzas cristianas de Felipe II.

213

AGRADECIMIENTOS

Lunwerg Editores agradece la colaboración prestada para la realización de este libro a las siguientes personas y entidades:

Andreu Masagué; Fernando Gil Carles; Francisco Jarque; Francisco Ontañón; José María Fiestas; Koldo Chamorro; Manel Armengol; Manel Pérez Puigjané; Óscar Masats; A. G. E. Fotostok; Archivo Fotográfico Oronoz; Biblioteca Ambrosiana, Milán; Biblioteca Nacional, Madrid; Biblioteca-Museo Balaguer, Vilanova i La Geltrú (Barcelona); Bibliothèque Nationale, París; Gabinete Numismático de Barcelona; Germanisches Nationalmuseum, Nuremberg; Instituto e Museo di Storia della Scienza, Florencia; Instituto Valencia de Don Juan, Madrid; Museo Arqueológico Artístico Episcopal, Vic (Barcelona); Museo Arqueológico, Granada; Museo Arqueológico Nacional, Madrid; Museo Arqueológico Provincial, Sevilla; Museo Arqueológico, Zaragoza; Museu Nacional D'Art de Catalunya, Barcelona; Museo de Bellas Artes, Sevilla; Museo del Ejército, Madrid; Museu d'Història de la Ciutat, Barcelona; Museum of the History of Science, Oxford; Museos y Patrimonio Arqueológico, Pamplona; Museo Provincial, Jaén; Museo de la Real Academia de Ciencias, Barcelona; Museo de San Isidoro, León; Patrimonio Nacional, Madrid; Staatliche Kunstsammlungen, Kassel.

al-andalus
coexistence of cultures

Introduction

In itself, the title of this book – *Al-Andalus. Islam in Spain* – takes good account of the subject dealt with, although it does not define its scope, and all subject matter is invariably bound by the layout and number of pages which the publisher sets the author. The latter, acting under certain limitations, must then fix a suitable extent for each of the chapters to be included in the work, in addition to their arrangement and content.

The case in point is a brief historical review of Moorish Spain charged with a wealth of illustrations. The procedure chosen was that of a systematic but elementary exposition of the subject while avoiding details, in the manner of the *faqihs'* technical literature, a technique of which precious little was to be passed on directly into Europe. In each chapter, the subject matter is set out in the following order: politics, science, fine arts and literature, these sections being divested of certain details which are duly provided under the relevant photographs. Such illustrations thus fulfil the dual function of supplementing the library text and furnishing a visual pretext for introducing additions to the same.

Finally, we would like to express our thanks to the Senior Lecturer in Arabic at the University of Barcelona, Dr. Leonor Martínez Martín, for having kindly written certain parts of the book and photograph captions, to Mariano Alonso Burón, Director of the Instituto Hispanoárabe de Cultura and to Ignacio Vasallo, Managing Director of Improtur, for being understanding about the author's – shall we say, *scientific* – point of view.

AL-ANDALUS
ISLAM IN SPAIN

Juan Vernet

THE CONQUEST AND THE DEPENDENT EMIRATE

In the 6th century, the Arabian Peninsula was inhabited by a multitude of tribes, most of them polytheistic, that claimed descendence from an ancestor common to all. But, despite this theoretical ancestry, no unbreakable bond of solidarity *(ʿuṣba)* existed between all the tribes forming a single group, and tribes from one stock often became allied with those of another for the purpose of defending certain economic interests which, in a land with climatic features like those in Arabia, were more fortuitous (dominion over or right of transit along the trade routes linking the Indian Ocean to the Mediterranean) than natural (domestic produce).

The Arabs had indeed been cited previously in historical texts, at least as far back as the time of the Assyrian king Shalmaneser III (d. 824 BC). But, in those texts and later ones, up to the reign of Queen Zenobia (d. 275 AD) in Palmyra, the word Arab was synonymous with bandit or highwayman. This meaning gradually fell into disuse, to the point that their descendants were unaware of such derogatory connotations and eventually regarded the term as mainly referring to a polytheistic ethnic group. However, it did include some Christians (Monophysites and Nestorians) and, even in remote times, nobody would have denied the bishop of Najrān, Quss ibn Sāʿida, or the poet al-Ajṭal, their condition as "Arabs". It was only in the 19th century and as a consequence of European colonialism and the spread of Darwinian doctrines that the expression, "al-lugat al-ʿarabiyya lā tatanaṣṣara" ("the Arabic language cannot be Christianized") came into its own.

In any event, by the mid-6th century the notion of linguistic and ethnic unity was already established among the inhabitants of the Arabian Peninsula. The former was, in "cultured" circles of the time, to foster the advance and evolution of a culture – a *koine* – that lasted for centuries, depite the coexistence of a number of dialects that would take their inherent features to places which, a century later, were to endure their sackings and conquests. Had that been otherwise, how could we account for the differences between the Castilian "sandía" and Catalan "sindría", or Ambercoque and Albuquerque?

Nevertheless, the unification of tribes of different stock was a passing event. It began – and not in a particulary stable fashion – at the time Muḥammad ("Mahoma" in medieval Berber dialects, from where it passed over into Christian Spain), sent by God to establish concord among the Arabs and later among all men, replaced the bond of blood fraternity *(ʿaṣabiyya)* with that of religion. This new form of kinship, soon to be split by heresy and political strife, proved effective for almost a century in which *Islām* ("submission to God") built up, to its own advantage, an empire larger than that of the Romans and virtually symmetrical to it on the shores of the Southern Mediterranean, the Near East and Central Asia.

It should be pointed out here that, prior to the preachings of Muḥammad, the Arab tribes worshipped a multitude of gods whose pantheon was located in Mecca – see the novelistic account of them in the poem entitled *"ʿAbqar" by* Shafīq Maluf (translated into Spanish by J.E. Guraieb, Córdoba, Argentina, 1969). One of them was given the name *Ilāh* ("God") which, when recognized by Muḥammad and his community as the one true God, took as a prefix the definite article "al-", the name thus becoming "Allāh" ("the God"). Since the book revealed to Muḥammad by the latter – the *Koran* – identifies Allāh with the Old Testament God, this would suggest that the name featured in many languages as "Allāh" is inappropiate and should be traslated as "God" and not Allah. Otherwise, when translating a text from any language – French, German, etc. – the original forms of "Dieu", "Gott", etc. would have to be preserved, as is forced on the Arabic by the use of "Allāh". And, with all the more reason, we should recall there is a hadith that credits Muḥammad with having said the Lord's Prayer.

When Muḥammad was persecuted and threatened by his fellow tribesmen from Mecca – the Qurayshites – for reasons we are not concerned with here, he fled to the city of Yathrib (since then known as "Madīnat an-Nabī" – "City of the Prophet" – or "Al-Mudawwarah" – "The Most Glorious"; that is, present-day Medina) and defended himself with the arms of those who rose in arms against him. Thus began the *jihād* or Holy War which, as from the Middle Ages, the West has regarded as a Koranic commandment of an offensive character, when the text of the Holy Book in fact refers more to the legitimate defence of people, land and chattels than to an assault directed at one's fellow men, even though they belong to a different monotheistic religion. Be that as it may, given the skill and speed with which weapons could be fashioned at that time and the strategic genius of Islam's generals, starting with Muḥammad himself, by the dawn of the 8th century they had already occupied the entire Southern Mediterranean seaboard and, only fifteen kilometres away, sighted the outline of Gibraltar.

The Moslem army that gazed over the Peninsular coastline from its southern end was of multifarious composition: most of the men were Tunisian, Algerian and Moroccan Berbers – mainly nomads by nature – led by a handful of Arab chieftains and infiltrated by Arab clergymen who taught them about Islam. Moreover, as happened with Napoleon's early campaigns, the continual conquests both helped to amass public funds and enabled individual soldiers to obtain substantial booty. The vanquished of the poorer classes saw conversion to Islam as a procedure of deliverance from servitude, and those of the wealthy class as release from a number of taxes, which were much stiffer than what the Koran allowed to be exacted from non-believers. In other words, one thousand three hundred years after the events recounted here, it is apparent that for the new empire's treasury to function the empire had to be strong enough to continue its expansion. That was the case in the year 711.

At the time, the Visigothic King Roderick was engaged in a campaign against the Vascons, who refused to recognize him. On the other hand, a group of Visigothic lords who supported the successors of the previous king, Witiza, and the Hispano-Romans – this is one of the last times we hear about these two classes of Peninsula Christians – were dissatisfied with the new sovereign. They wasted no time in seeking help from the Moslem leader occupying the southern shores of the Strait of Gibraltar in order to overthrow the recently acclaimed monarch and, after his defeat, return the Berbers to their country of origin. A host of legends have been woven around this historical episode – those of "La Cava", Don Oppas, Count Don Julián, and the Toledan House of the Locks... but, whatever the case, the Moslems crossed the Strait of Gibraltar. One such legend credits Ṭāriq with having ordered his ships to be burned to prevent his troops from retreating, as Hernán Cortés was later to do. Meanwhile, King Roderick made hastily for Andalusia, where he was defeated and killed in a battle which is traditionally sited near the Guadalete, although recent historians have placed it in other spots: Guadarranque, Lagunas de la Janda, the Barbate river, etc.

The victorious Ṭāriq ibn Ziyād refused to hand over the government of the Peninsula to the successors of Witiza, to whom he granted only those dominions that had belonged to their father. Following the Roman roads, he then set about conquering Hispania, from then on known as "al-Andalus", a term with a certain inherent biological value. Al-Andalus was, as from then and in Arabic texts, the territory ruled over by the Moslems. It covered a larger area in the 8th century than present-day Spain, being subsequently reduced to the kingdom of Granada from the 13th to the 15th century. Witiza's successors resigned themselves to the new status quo and only Catalonia and Septimania managed to support a pseudo-Gothic reign, which was forced to capitulate in 713.

Ṭāriq's advance towards Toledo and the east coast of Spain was rapid, partly because the Christianization of the country had not been completed and, above all, thanks to the support of groups of Jews who had been maltreated by the last Visigothic kings. They quickly joined the newcomers, and were set up as caretakers of law and order in the newly conquered cities. This enabled the invaders to continue their advance, delayed only by instances such as Cordova. Here, the defenders, entrenched in a church outside the city walls, were able to hold out for several months despite the siege, since the church in question was supplied with water from an underground conduit (*jaṭṭāra, foggara* or *majrā* "watercourse") that ran down from the mountains. This tactical fact shows that such underground watercourses on the Peninsula were known even in Roman times.

Ṭāriq ibn Ziyād's superior commander, Mūsā ibn Nuṣayr, on hearing about the former's successes and how he had disobeyed his orders by advancing into the interior of Spain, assembled an army – for the first time composed mainly of Arabs, who made up twelve thousand of eighteen thousand men in all – crossed the Strait and headed for Toledo via Sevilla and Mérida, finally meeting his subordinate in the former Visigothic capital. A number of campaigns soon made them lords over the entire Peninsula and their successors pressed on into Septimania and Occitania, until they were finally defeated by the Frank Charles Martel, at the battle of Poitiers. Here ʿAbd ar-Raḥmān al-Ghāfiqī was vanquished in 732. Needless to say, the conquered territories included pockets of Christians who were gradually subjected, on the whole by peaceful means. In other cases such as that of the Duero Valley, there is some doubt as to whether those lands remained uninhabited for a long time.

In the following years, up to the institution of the Umayyad dynasty, a series of *walis* ("governors") appointed by the caliph of Damascus succeeded one another in the midst of civil wars fueled by tribal interests and acts of revenge: there were clashes between the Arabs who had first arrived in Spain – the so-called *baladíes* ("of the people") – and occupied the richest lands, the Berbers, who were relegated to the Meseta plateaus and mountainous regions; the great uprising (Kharījī) in 740 and the famine during the middle of the decade.

The situation of al-Andalus, as seen through the eyes of a moderately educated wali at a time when the Peninsula was theoretically dependent on the East (711-756), must have been rather disquieting. On the one hand, there was strife between the Yemenite and Qaisite Arabs and between the Baladíes and Berbers. On the other, in the northern areas there were groups of idol-worshippers who became liable for execution for the mere fact of not having embraced one of the religions (Christianity, Judaism and Mazdaism) tolerated by Islam. There was also trouble with those known collectively as the *Dhimmis* or *ahl-adh-dhimma* who, by Koranic prescription, were forced to "humbly" pay a personal tribute or *jizya* and another territorial tax or *Kharaj*. These tributes and the methods of payment had not been clearly established by Moslem jurists but, on the whole, they were regulated by rulings in the ṣulḥ or capitulation, whereby their signatories were subject to Islamic authority but with ample internal autonomy. Such was the case of Mérida.

A peace treaty ("'ahd") that may be taken as customary was the one signed by Teodomiro and the wali, ʿAbd al-ʿAzīz (5th April 713), the text of which has survived to the present. It granted a much greater measure of autonomy than those regulated by the ṣulḥ, since it empowered the inhabitants of the Spanish Levant to keep virtually all their rights, from the power to appoint their authorities to the collection of taxes, a proportion of which was sent to the treasury as stipulated by the pact.

Further, the cities located near the lands of the Franks, particularly Barcelona and Girona, although under the Emir's dominion, were subject to only moderate application of such hegemony since there were only a few Moslem inhabitants and their proximity to the Franks allowed for the existence of a "fifth column" that confronted supporters of both empires.

THE INDEPENDENT EMIRATE

The great uprising in North Africa of the Khārijites led by Maysara – who claimed that anyone could be caliph as long as he were a believer and an upright man, and who refused to pay non-Koranic taxes – and their swift run of victories over the Arab armies, prompted the caliph, Hishām, to send reinforcements to Morocco under the command of the Qaisite, Balj. The troops, drawn mainly from Arab cavalry squadrons in Syria, were expedited to Morocco, where they were defeated by the Berbers and forced to seek refuge in Ceuta.

Meanwhile, the Berbers living in Galicia, who were stricken by famine after several harvest failures and dissatisfied with the lands that had fallen to them during the conquest, decided to join their brothers in Africa and marched southwards, crushing all Arab armies that stood in their way. This led the wali of al-Andalus, the Yemenite ʿAbd al-Malik ibn Qatan al-Fihrī, fearful that the end of the Arabs was nigh and that Cordova would fall to the insurgents, to ask Balj for assistance and to clear the way to the Peninsula for the second wave of Arabs. Once in al-Andalus, Balj scored repeated victories over the Berbers and stationed his different *jund* (territorial armies) wherever they chose to settle. The political leanings of these new troops were pro-Umayyad and many of them had pledged allegiance (mawlā, or "vassal") to that Qurayshite clan.

These events led to an Umayyad fugitive, who had fled the overthrow and massacre of the Umayyads by the Abbasids and managed to reach the coasts of North Africa – being urged by his Andalusian supporters to cross over to the Peninsula and attempt to restore order there, perhaps with the ulterior motive of eventually ousting the Abbasids in Baghdad and reinstating the caliphate in his family. He successfully carried out the first project, but failed in the second and, despite the title of caliph attributed to him by the occasional court poet or chronicler, he was never more than an Emir who ruled over the first Moslem domain to become independent from the rest of the Empire and the only one to be cut off from Islam eight centuries later.

Chronicles of the time refer to him as ʿAbd ar-Raḥmān I ad-Dākhil ("The Immigrant") and even he always considered himself a newcomer to al-Andalus, just like the palm trees he looked out upon on his lands and to which he dedicated an excellent poem. He proclaimed himself independent and took the title of Emir of al-Andalus (756-788), but never minted gold coins (dinars), since the use of this metal was considered to be the privilege of the caliphs. This state of affairs continued until 929 when his descendant, Abd ar-Raḥmān III adopted the caliphal title of an-Nāṣir. Another plausible reason for this was that in 8th-century al-Andalus, unlike that of the 10th century, imports of the metal from the Southern Sahara were exceedingly difficult. The only form of money minted by the independent caliphate was thus the silver dirhem.

Ad-Dākhil, the son of a Berber woman from the Nafza group, a fine soldier, skilled politician and excellent swimmer – the number of historic figures in those centuries who practised this sport is amazing – by drawing on his noble Qurayshite background managed to bring about the unification of al-Andalus and halt the Christian advance, which had been particularly strong in the kingdom of Asturias. From his reign onwards, the strife between Qaisites and Yemenites began to abate, as a result of the violence and harshness with which he quelled their outrages, and of the assassination, whenever possible, of his enemies and even those in his service who he felt might betray him.

He was thus able to quash a couple of Abbasid attempts to retake al-Andalus; he defeated the Berbers that revolted in the vicinity of Guadalajara ("River of Stones") under Shaqya ibn ʿAbd al-Waḥ id from the Miknāsa tribe; put down the Yemenites of Seville and, with the use of force, maintained peace among the Christians (Mozarabs) in his territories, confiscating their churches and goods without respecting even the noblest among them nor those who had most befriended the Arabs since the beginning of the conquest. Artobás, son of Witiza, who had so favourably welcomed the Syrians led by Balj, did not escape his rapacious spirit. Such demeanor prompted many Christians to emigrate northwards, mainly to Asturias, and to contribute to the repopulation of the Duero Valley, its watercourse being gradually transformed into a permeable but highly expedient frontier against the Moslems.

An interesting anecdote is associated with the above allusion to the Syrians. They had reportedly arrived in the West without their families, since they expected their stay to be brief. This poses the problem of the pure Arab stock that reached the Peninsula: if we accept the fact that these men, numbering about fifty thousand, had indeed left their women behind, their ethnic influence must have soon vanished when they married Christian women. If, on the contrary, their westward advance was accomplished in the form of a massive tribal migration with all their members and belongings, the Arab stock would have endured for a longer period of time, although it would have likewise eventually become dispersed on account of marriages to Jews and Christians. It is worth remembering that, two centuries later, the caliph al-Ḥakam II al-Mustanṣir (961-976) was hard put to determine which tribes his subjects belonged to and that, at the height of the *ṭāʾifa* (independent kingdoms) period, Ibn Ḥazm of Cordova wrote a book entitled *Ansāb al-ʿarab* ("Arab Lineages") to preserve the memory of those who had immigrated to al-Andalus and their descendants.

The greatest danger that faced ad-Dākhil arose in an unexpected manner: a plot contrived by the Abbasids of Aragon and Catalonia finally aroused the interest of Charlemagne, who followed a policy of setting up "marches" (buffer states) along the frontiers of his empire to prevent any unpleasant surprises. He thus felt it was no foolhardy idea to support the governor of Saragossa's rebellion and thereby push forward his lines of defence as far as the Ebro, thereby setting up a vast Spanish March that would protect the south of France with the aid of two formidable natural barriers – the great river and the Pyrenees.

In 778, two Frankish columns set out southwards – one crossed the Pyrenees at Roncesvalles and the other via the Roman road that led to Saragossa after crossing Catalonia. However, when the amassed army appeared before the capital of Aragon and waited for the gates to be opened, the opposite occurred – the Moslems refused to fulfil their promise and Charlemagne, whether on account of the news of the Saxon uprising or his lack of preparedness for carrying out an orthodox siege of the large city, began his retreat towards France via Roncesvalles. When the army's rearguard had entered the pass, in the late afternoon of 15th August 778, it was attacked by surprise and completed routed. The Franks lost their best men, including Roland, Duke of the March of Brittany. Over the centuries, this event was transformed through the mythical figure of the *Song of Roland,* an epic poem that even today is studied in literary handbooks in the West.

This episode poses two problems: the actual site of the route the Franks had taken in their retreat, which is usually identified with the present-day pass at Roncesvalles – although with some reservation on the part of many scholars – and the true identity of the assailants. Here, there is wide discrepancy, since the victory is claimed equally by Basques, Arabs and Gascons. In any event, the fact is that Charlemagne ceased to trust his Moslem allies and, when he resumed the formation of the Spanish March, he proceeded systematically, step by step, occupying Girona in 785.

Ad-Dākhil did not react: by then aging and rid of serious international problems, he embarked upon the building of a new floor in the mosque of Cordova, so that the Moslems could worship separately from the Mozarabs in that house of prayer. He then retired to the place of Ruzafa ("garden") – built on the outskirts of Cordova – where he spent his last days.

He was succeeded by his son, Hishām I ar-Riḍā (788-796), who swiftly crushed an uprising by his elder brother, Sulaymān, and other outbreaks of violence in various regions. His was a brief but peaceful internal reign, his efforts being spent on fighting the Christians and Franks, over whom he won numerous victories, although not of a lasting nature. Legend accounts for his pious nature on the basis of the astrologist ad-Ḍabbī's prediction that his reign would be short-lived. It is interesting to note that, if such a prediction was indeed made, it would have been based on the Low Latin writings entitled, "Books of the Crosses", which ad-Ḍabbī was translating at the time.

His son, al-Ḥakam I (796-822), had a much longer and far more turbulent reign since, while the state built up by ad-Dākhil had served to quell much of the instability during the period of the dependent emirate, the dynamics of that very state were generating new forces that were to tip the scales. There were two essential factors in this change – the birth of a new social class, that of the Muladíes or Christian converts to Islam, and the growth of jurisprudence with the increasing number of cases not provided for in the Koran, thus compelling the *faqihs* to settle them by resorting to the Hadiths and to analogy *(qiyās).* This led, however, to the proliferation of personal viewpoints *(ijtihād)* based on the use of reasoning *(ray'),* the ensuing differences fomenting an ill will among the learned that spilled over onto the streets at a time when the four orthodox rites *(madhab)* had not yet become firmly established, although this did not take long in coming.

As was customary, the new reign was seen in by a number of uprisings on the three frontiers (the upper frontier, at Saragossa; the middle one at Toledo, and the lower at Mérida) where the Moslems shared their *limes* with the Christians. Al-Ḥakam put them down with severity by employing his various army corps, the ranks of which were increasingly swollen by the admission of the *khurs* ("mute") – so-called because these foreigners could not speak Arabic – that made up his personal bodyguard along with Muladíes, Mozarabs, Slavs, etc. The repression at Toledo was used as a deterrent, as has been done by the Arabs with certain frequency throughout history. Having stifled the uprising, ʿAmrūs ibn Yūsuf invited the city's noblemen to a banquet in honour of the prince, ʿAbd arRaḥmān, and as they entered the palace they were executed and their bodies hurled into a pit dug exclusively for the purpose. This event was later referred to in Arab chronicles as "The Day of the Pit" *(waqʿat al-ḥufra),* just as the "Day of the City Outskirts" alludes to the events in Cordova on 25th March 818, after the Emir at the time who was nicknamed "ar-Rabaḍī".

Al-Ḥakam was, according to the Mālikite faqihs – that is, those who followed the legal doctrines established by the oriental Mālik ibn Anas – far from pious. For the common people and the Muladíes, he was a tyrant who constantly increased taxes and indiscriminately ordered them to be collected by anyone, whether Moslem or not. Moreover, he treated the army the same way. An incident provoked by a "mute" triggered off the uprising in the Cordova suburbs where the masses, goaded on by the faqihs, attempted to attack the palace and kill the Emir. But the latter, an accomplished strategist, came out victorious. He ordered the district to be razed and three hundred prominent Cordovans to be crucified. The masses were expelled from Spain and, after many adventures in the Mediterranean, ended up seizing Crete from the Byzantines in 827 and setting up an independent state on that island that was to last for nearly a hundred years.

Nevertheless, the two main instigators – the leading faqihs – escaped punishment and from about this time on politicians and clergymen (it should be pointed out that Islam does not have a true clergy in the Christian sense of the word) learned to live together and help each other whenever either of the two powers were under threat.

The harshness of Al-Ḥakam I's reign enabled his son and successor, ʿAbd ar-Raḥmān II al-Awsaṭ (822-852), to enjoy a comparatively peaceful internal regime. He thus set about organizing his domains administratively. He patronized culture and raised al-Andalus to a level comparable to that of the Abbasids, whose customs and institutions he sought to emulate.

Politically, his reign began with unrest and revolts on the borders that spread from the limits of al-Andalus (Asturias and Catalonia) towards the centre of the Peninsula in the western area of Aragon and Toledo. Documents which have recently come to light confirm the uprisings of Aizón in Catalonia. Thus, until 830, many of the *limes* with the Christians were up in arms, as were parts of the Levant, such as the former dominions of Tudmir where, on the whole, peace had reigned for long periods of time. To control the unrest here, the Emir founded the city of Murcia (831), while in the far west he built the *Alcazaba* ("fortress") at Mérida. The relative calm of the following years permitted punitive *aceifas* ("summer raids") to be carried out against neighbouring Christian states and, furthermore, allowed for the adoption of a bold foreign policy consisting of an alliance with Byzantium. Once negotiations with the emperor Theophilus were underway, they were attended by the despatch to Constantinople in 840 of the poet, Yaḥyā al-Ghazāl, whose verses, novelistic life and journeys are known to us in some detail.

Meanwhile, the descendants of the converted Visigothic Count Casius, who had already caused a stir during the reign of Hishām I, grew uneasy in their Aragonese domains. One of them, Mūsā ibn Mūsā (Muza II), who was related to the Vascons of Pamplona (he was Iñigo Arista's maternal halfbrother), aspired to become the "third king of Spain" from his base in Tudela, with the help of the Christian kingdoms in the Pyrenees. After he and his allies were defeated by ʿAbd ar-Raḥmān II, whose troops took Pamplona, he was compelled to surrender at the very moment a new enemy threatened al-Andalus – the Norsemen *(urdumaniyyūn),* also referred to in Arabic chronicles as the *majūs* ("fire worshippers").

The Norsemen, pushing further south than was their custom, sacked Lisbon and, after sailing up the Guadalquivir, also ravaged Seville. The Emir amassed all his troops, asked Mūsā ibn Mūsā to bring reinforcements and, together, under the command of ʿAbd ar-Raḥmān's favourite eunuch, Naṣr, they overwhelmed the invaders at Tudela and put them to flight. It is traditionally said that the *majūs* prisoners converted to Islam en masse –had they not done so, as polytheists they would have been executed. They then settled near the Guadalquivir, where they engaged in sheep farming and the production of dairy produce with the milk from their livestock.

The Mozarabs of Cordova and Toledo caused the Emir new problems towards the end of his life. While it is true that many of them continued to be good Christians, culturally they had become Arabized and adopted the mores and literature of their rulers. They were thus frowned upon by their fundamentalist coreligionists. They were led by Alvaro of Cordova and Eulogio, who sought to defend their own Isidorian culture against the infiltration in their ranks by Moslem culture, even though the latter did not affect their religion. Not in vain does the Koran say (5.85/82): "Among the Jews and whoever associates with polytheists, you will find the most violent enmity towards those who believe. Among those who say, 'we are Christians', you will find the nearest in love to those who believe, because among them are priests and monks who do not pride themselves". (86/83) "When they hear what made the Messenger, *Muḥammad,* come down, you will see their eyes shedding tears, for they know the truth. They say: 'Oh Lord, we believe; include us among the witnesses." In short, the Holy Book of Islam established a hierarchy among the different religions, in which the Christians religion is the nearest to Islam.

Unrest among the fundamentalists – who witnessed even the Gospels being translated into Arabic – grew steadily until an incident, initially of scant import, led them to systematically harass the Moslems and publicly revile their prophet, Muḥammad. By that time Islamic law was fully developed and everyone knew that such abuse – except when uttered by the patently insane or by someone whose mental faculties had become temporarily deranged – made the offender liable for the death penalty. Things had reached such extremes that, in the course of a friendly discussion between a group of Moslems and the priest, Perfecto, on the respective merits of Jesus and Muḥammad, the latter was insulted by Perfecto. How right the Koran is to reject any form of religious polemics! It enjoins that the latter be left for the Day of Judgement, while urging harmonious coexistence with members of other confessions. To this effect, in 16.125/124, the Koran states that, "On the day of the Resurrection, the Lord will judge among them regarding their discrepancies".

The discussion ended with Perfecto being taken before a judge by the Moslems. The official searched all available casuistry for a means to save the priest, but the latter refused to retract and admit that when he uttered the words he had lost control of himself. He was sentenced to death and executed but, before his death, he prophesied that the eunuch Naṣr would also die before a year had elapsed – and so it came to pass. In the light of new documents chronicling the period, it appears almost certain that Perfecto had heard of the court prophesies to that effect.

The fundamentalist Christians unfortunately believed that the search for martyrdom in the manner of Perfecto would ensure them a place in heaven and a good many (although not as many as is commonly held) followed the latter's footsteps. The case provided the leaders of both religions with some concern and the Emir, who exercised patronage over the Church, instructed one of his highranking Christian officials, Gómez, to set up a council that would put an end to this state of affairs. At the bishops' assembly, only one of them, Saul, Bishop of Cordova, objected to the Emir's proposals. The rest approved a document stipulating that in future any Christian intentionally seeking martyrdom would not be considered a martyr. The same Gómez was to later secure the observance of Sundays as holidays in the Cordovan administration, and ended up by converting to Islam.

On his ascent to the throne, ʿAbd ar-Raḥmān II's successor, Muḥammad I (852-886), already had a political blueprint for solving the Mozarab problem. But he did not suspect that he was about to run into a much more serious one, that of the Muladí uprising headed by 'Umar ibn Ḥafsūn, which was to last throughout the reign of his first two successors and almost put an end to Arab rule in the Peninsula. It likewise turned the latter into a veritable kingdom of *tāʾifahs* ("factions" or "party kingdoms"), which were only dissolved a few years after the proclamation of the caliphate of Cordova. To some extent it is for this reason that the emirates of Muḥammad I, al-Mundhir (886-888) and ʿAbd Allāh (888-912) should be examined together, since all three had to confront practically the same problems.

First of all, the martyrdom of the Mozarabs became well-known in France, where numerous monasteries wished to secure the remains of these new martyrs. They sent frequent envoys to Cordova to obtain them, which they invariably did, a fact which created personal ties – relations of this kind were hardly ever interstate – on both sides of the Pyrenees.

Moreover, the ascent to the throne of a new sovereign prompted an uprising by the Toledans who, backed by Ordoño I, attacked Muḥammad I but were defeated by the latter at the battle of Guadalecete in 854. He was, however, unable to exploit his victory further, since along the Upper Frontier around Tudela the Banū Qasī were acquiring complete hegemony over Saragossa, Huesca and the Moslem area of Catalonia, from where they made repeated incursions deep within the Spanish March. Almost simultaneously (858), the Norsemen attacked the Levantine coastline and the Balearic Islands, despite the two Andalusian fleets assembled by ʿAbd ar-Raḥmān II, the Mediterranean fleet based at Pachina (Almería) and the Atlantic fleet at Seville.

Muḥammad I managed to enjoy relative calm for a few years, due to his tolerance of Toledan and Aragonese semi-independence. In turn, he took advantage of the latter to succesfully attack Asturias during the course of a series of *aceifas*. New insurgents were, unfortunately, soon to follow their predecessors, when the Muladíes ʿAbd ar-Rahmān ibn Marwān el Gallego (al-Jilliquī) revolted at Mérida, and ʿUmar ibn Ḥafṣūn in the Serranía de Ronda. The latter set up his headquarters in the castle of Bobastro (Málaga) and for nearly forty years he made life impossible for the emirs of Cordova. The final years of his reign form a period which is not easily summarized: armies were continually on the march in different directions, particularly against Castile, where Conde Diego had built a stronghold at Burgos; against Aragon, and likewise Asturias, Extremadura and Bobastro. When he died, Muḥammad I barely owned the ground he trod. His successor, al-Mundhir (886-888), realized that the worst threat to the Cordovan state was posed by ʿUmar ibn Ḥafṣūn, and he proceeded to lay siege to Bobastro. Nevertheless, the brevity of his reign prevented him from carrying through his plans, which was similarly the case with his brother and successor, ʿAbd Allāh (888-912).

The start of his reign could not have been worse. ʿUmar ibn Ḥafṣūn controlled the entire Andalusian coastline and part of the interior, and the Muladíes of Elvira and Seville were continually stirring up trouble to press their claim for independence from Cordova, whether they were victorious over their Arab enemies or not. They were constantly seeking aid from the lord of Bobastro, who thus came to occupy Ecija, Baena, Lucena and the fortress of Poley fifty kilometres from Cordova, bearing in mind that by then all of northern Spain was independent, with the Christians gaining ground in both León and Catalonia.

In 891, ʿAbd Allāh mustered his paltry forces and his Arab horsemen attacked Poley, completely routing ʿUmar ibn Ḥafṣūn. The latter was thereby momentarily forced to abandon a large part of his conquests, although he soon returned to harass the Emir. The Emir, for his part, struck upon an "administrative" procedure to solve the crisis in the not too distant future: it involved successively attacking his nearest and weakest enemies, then drafting them into his ranks and forcing them to pay taxes, thus gradually extending his domains and enlarging his army. He meanwhile took no notice of what was happening along the distant northern border, where Alfonso III was consolidating the Duero river frontier and Count Wifred of Barcelona that of Llobregat-Cardener.

THE CALIPHATE

On the death of Abd Allāh, he was succeeded by his grandson, ʿAbd ar-Raḥmān III (912-961), who had both Arab and Vascon blood in his veins – a good mixture to reunite al-Andalus and launch new aceifas against the Christians in the north. In 920 he defeated the Leonese and Navarrese at Valdejunquera; sacked Pamplona in 924, and occupied Bobastro in 928, Badajoz in 930, Toledo in 932 and in 937 Saragossa.

Shortly before achieving the total submission of al-Andalus, ʿAbd ar-Raḥmān III adopted the title of Caliph and "Emir of the Believers" under the name of an-Nāṣir li-dīn Allāh. While his dynasty had until then maintained the fiction of Moslem unity centred on the Abbasid dynasty of Baghdad, he had no reason to follow the same line after the Fatimids – who claimed descent from ʿAlī, the husband of Muḥammad's daughter, Fātimah – had siezed Tunis and created a vast empire in Africa Minor, attacking many of the Umayyad's allies and taking over the coveted title for themselves. Enmity between the two Western caliphates then intensified and their forces locked together in battle on land in Morocco and at sea in the Mediterranean, west of Malta.

To support this war effort, ʿAbd ar-Raḥmān III set up new shipyards in Tortosa supplied with fine woods from the Beceite passes. Since he could draw on some magnificent admirals such as Ibn Rumāḥis, he not only succeeded in proving a match for the Fatimid fleet but also founded a Moslem colony in the south of France, near present-day Toulon, which was given the Latin name Fraxinetum. With the publication of Ibn Ḥayyām's hitherto unpublished *"Muqtabis"* the colony has now come to light in Arab literary sources. From here groups of Moslems roamed as far afield as the Alpine passes and sealed off land communications between Italy and France for several decades. They were supplied by the Cordovan fleet which, plying the route Pechina-Balearic Islands-Fraxinetum, returned to their base after sacking the coasts of Catalonia. The latter, which had endured the Hungarian invasion that reached the Moslem dominions at Lérida, where it was finally repulsed, and had faced the threat to Barcelona itself posed by the presence of the Cordovan fleet, was forced to accept the peace terms imposed by the Caliph, which were conveyed by the illustrious Jewish vizir, Ḥasdāy ibn Shaprūt.

It is interesting to note that ʿAbd ar-Raḥmān III appears to have successfully used two doctors as vizir-envoys: the above metioned Ḥasdāy, who was later to negotiate with the Court of León, and Ibn al-Bāj, the chargé d'affaires in Africa. We likewise know that he granted technical aid by sending craftsmen, military instructors, etc., to the Moroccan princes who were his allies and that, in the course of this, he siezed Ceuta and Melilla in order to control the Strait of Gibraltar.

Another outcome of maritime control was the abundance of slaves of all origins that converged on Cordova. As in the case of the Jew, Moshē ibn Hannok, who was rescued by his community, some of them were to have a decisive influence on Talmudic studies. By the same token, indirect control over the Saharan oases in the north of the desert, which were stopping-places for camel routes originating in the Sudan, was to facilitate the arrival in al-Andalus of large quantities of goods from black Africa, in addition to those coming from Italy via Amalfi and Barcelona, and local goods from Catalonian counties, such as excellent quality "farga" ("forge") iron for arms manufacture. Further, the influx of gold from the Sudan was to bring about profound changes in the European economy. This trade was to thrive continuously in subsequent centuries, although the European markets later transferred to cities in al-Andalus specializing in this type of business, namely Cordova in the 10th century and Játiva in the 11th, to be later based in the Christian cities.

In the field of politics, ʿAbd ar-Raḥmān III an-Nāṣir had his last shock in 939 when, having tired of repeated incursions across his frontiers by Ramiro II of León (931-951), he amassed a large army led by the Caliph himself and set out to crush the former in a campaign which, even prior to its undertaking, was known as "the great power". Details of the event are well known, but they are so many and often so contradictory that they prevent any reliable overview of the whole affair.

What is quite certain is that Ramiro II completely routed the Cordovan army at the battle of Simancas – or in two battles, Simancas and Alhandega – and that the Caliph had to flee for his life. Once back in Cordova, he never again exposed himself to the risks of war for the rest of his life. Details of the battle appear to suggest that the assault plan was – as occurred half a century later with Almanzor – based on an eastward incursion along the León border. The Moorish troops only engaged in set combat when the Christian forces offered some resistance, as indeed was the case. Other descriptions show up the half-heartedness of numerous Cordovan officers, whether Arabs, Berbers or Slavs; the first because, after having being independent lords in their ṭāʾifahs, on being overcome by force by ʿAbd ar-Raḥmān III, they had been compelled to join the latter's armed retinue under duress. A further reason for the officers' performance was the prepotency enjoyed by the Slav officers. This accounts for the crucifixion of several officers once the vanquished army had arrived back in Cordova. The betrayal of former friends of the Leonese should likewise not be dismissed; nor the undoing – and perhaps even treacherous murder by the Caliph himself – at the height of the battle, of certain third parties who were still able to dream of recovering their former fiefs. Whatever the case, the battle (or battles) at Simancas-Alhandega, also termed *"del foso"* ("of the pit"), provided a new territorial gain by the Reconquest over the Arabs.

Despite the propitious circumstances surrounding this advance, it was not commensurably far-reaching since, on Ramiro II's death, the outbreak of strife among the Christian Kingdoms and the de facto substantiation as an entity in its own right of one of León's counties – that of Castile – were to plunge Christian Spain into anarchy such as al-Andalus had ruled over in the latter half of the previous century. But the most significant of all these events was undoubtedly the birth of Castile. A Castilian count, Fernán González (929-970) – the most famous, royal and legendary of them all – was instrumental in securing independence from León.

The earliest mention of this region appears in documents dated around 850 and, according to Oliver Asín, the etymon is derived from *Qashṭāla,* a Berber tribe hailing from eastern Libya. The Qashṭāla had settled at the junction of roads linking the Duero and Ebro river basins, in the vicinity of the Banū Qasī's domains, at the time of the Moorish conquest. But their geographical position, once reconquered by Asturias, brought them into the limelight of the Moslem's attention, thus forcing the "Castilian" counts to defend themselves on numerous occasions with only their own local forces, given the considerable distance to León.

This state of affairs again led an-Nāṣir to mediate in the disputes between Christian kings and with the aid of Ḥasdāy ibn Shaprūt, he compelled them to pay tribute and to visit Cordova to pay homage to him, to request his assistance in recovering the thrones they had been deposed from, or even to seek medical treatment. Even a sovereign as far afield as the German Otto I sent him an embassy in the charge of Juan de Gorza. The Byzantines sought his aid against the Abbasids of Baghdad. They sent him Latin and Greek scientific manuscripts and even a monk, Nicholas, for the purpose of teaching scientific Greek (the business language was already well-known in Cordova) to the Cordovan sages who were thereby, for the very first time, to have access to the great thinkers of the ancient world.

Great sovereigns – says Ibn Khaldūn – seek to immortalize themselves in grand constructions. An-Nāṣir was no exception, and he ordered a city-palace to be built a few miles outside Cordova from where he could administer al-Andalus far from the urban hubbub. The new settlement was called az-Zahrāʾ after one of the monarch's concubines who had turned over her estate for the purpose of paying ransoms for the release of Moorish captives. However, the wealth was eventually invested in the aforementioned construction after failing to find even a single Moslem in Christian dungeons.

An-Nāṣir was succeeded by his son, al-Ḥakam II al-Mustanṣir (961-976), whose reign was initially disturbed only by some whimsical skirmishes perpetrated by the Christians. He swiftly bought them into line, and also quelled a more constant barrage of trouble stirred up by the North African Berbers, backed by the Fatimids. To put down their repeated uprisings, he sent out his best general, Ghālib, together with an expert in financial matters and later brilliant strategist named Abu ᶜĀmir al-Māᶜšrī, who some years afterwards was to be nicknamed al-Manṣūr (Almanzor). These two men managed to pacify the north of Morocco, while political affairs were entrusted to a doctor, Ibn al-Bāj, who saw to it that a great deal of the aid that we now term "scientific and technical" was channeled into the region. This marked the inception of what subsequently became consolidated into an Umayyad buffer zone, to be later transformed into a veritable vice-royalty by Almanzor. A man of peace, the Caliph then set about savouring the joys of erudition, amassing a large library and patronizing the most illustrious sages of the time, regardless of whether they were Andalusians.

He was of right succeeded by his son, Hishām al-Mu'ayyad (976-1009), although power was in fact usurped by Almanzor (976-1002), who was most likely the lover of the former's mother, the Basque Ṣubḥ (Aurora). He soon assumed the title of *ḥājib* (chamberlain or prime minister) and, as had occurred in Baghdad, left the fiction of spiritual power to the legitimate sovereign. He himself adopted the title of king and ruled al-Andalus as he pleased. Needless to say, a dictatorship of this kind aroused envy among the social classes that until then had enjoyed a privileged status. It was actively opposed by the upper Arab aristocracy and the Slavs – who had been the most highly favoured soldiers ever since an-Nāṣir's time – and by even the faqihs, who harboured good reason to doubt the dictator's piety.

The dictator subdued the first two groups by fostering the immigration en masse of African Berbers, many of whom crossed the Strait of Gibraltar with their families and were absorbed into an army in the pay of the Treasury, although they remained loyal to him. He was able to placate the scholarly ulamas and the more devout members of the public by showing great respect for popular beliefs, to which end he sacrificed al-Mustanṣir's library. It was viciously purged, although many of the books regarded as heretical by the populace managed to escape the flames. Moreover, he produced a copy of the Koran in his own hand and built noteworthy extensions to the Cordova mosque. Nevertheless, as he also regarded himself as a sovereign, he aspired to enjoying all the attributes of royalty and built his own administrative capital – az-Zāhira.

On account of his thorough knowledge of African political affairs, he was virtually always able to enforce peace in the Moroccan region. Admittedly, a large part of his success was due to the fact that the Fatimids finally conquered Egypt. In the last few years of his life he exercised direct control over the region and Fez became the capital of the Umayyad dominions. The Christian kingdoms in the north, despite the marked differences that separated them, proved increasingly more unmanageable and kept up a steady harassment of the frontier.

In response to this Almanzor embarked upon a series of raids, about fifty in all, which have come to light in the minutest detail only recently and which were basically of two types: concerted assaults on specific targets – the occupation of Santiago de Compostela, León and Barcelona – and sackings which, as some Emirs had done years before, involved sweeping along the border on horseback like a scythe reaping corn, generally from west to east, destroying everything in their path, seizing or burning crops and, on occasion, making forays deep inside Christian territory to capture the odd Christian town or fortress. Most of the towns seized were not repopulated by Moslems, so that they soon returned to Christian hands.

At a time when modern publicity media were still unknown, such techniques, which even to this day have been preserved in some traditional form, were used by court poets – the equivalent of our present-day journalists – who were paid by the Treasury to sing the feats of their lords and masters. Thus, Almanzor's campaign successes were lauded in numerous *qasida*, outstanding among which were those by Ibn Darrāj al-Qasṭallī. Some of these were subsequently incorporated into historians' chronicles in prose form.

Almanzor died on his return from one of his victorious campaigns (the defeat at Calatañazor was a late Christian invention) from either typhus or salmonellosis, but not before committing to writing an excellent political testament which has survived to the present day. He was buried at the foot of the castle wall at Medinaceli.

As mentioned earlier, astrologers held some political influence at the Umayyad court. Almanzor's astrologer, the highly celebrated Maslama of Madrid (d. circa 1007), had observed the solar eclipse in 1004, then the apperance of a comet in 1006 and, finally, he ascertained that a conjunction of Jupiter and Saturn in the sign of the Virgin was due to take place. From these facts he deduced that a civil war *(fitna)* would break out shortly afterwards and that, owing to its occurrence within a dual-faced sign, the sovereigns who were to reign during that period would do so twice. The prediction indeed came to pass: after a fleeting spell of domination by Almanzor's two sons, ʿAbd al-Malik al-Muẓaffar (1002-1008) and ʿAbd ar-Raḥmān Sanchuelo (1008-1009), the civil war broke out in 1009. Lasting until 1031, it featured the return to power of five caliphs who had previously been deposed. Centuries later, Ibn al-Khaṭīb still raved about the accuracy of Maslama's prediction. The end of the civil war ushered in a new stage in the history of al-Andalus – that of the *Ṭa'ifas*.

Culture during the Umayyad period was a consolidation of all the knowledge that arrived in the land from two clearly distinct sources – that of the Mozarabs living firmly anchored in the Isidorian tradition and the subsequent era, as from the reign of ʿAbd ar-Raḥmān II, in which knowledge was assimilated from the Eastern Arabs, who had already translated the major scientific works of antiquity from Greek into Arabic. For the original conquerors, it was enough for them to know, by their own devices, the art of war and the necessary means for combat on land and sea and to have a basic notion of the evolution of Islamic jurisprudence in order to settle internal disputes, the solution to which was not expressly provided in the Koran. Doctors, architects and so on were drawn from the ranks of the vanquished Mozarabs, who thus came to enjoy hegemony in the practice of medicine, astrology, geography, etc. until the aforementioned reign.

It was ʿAbd ar-Raḥmān II al-Awsāṭ who, with the aid of the Oriental musician and singer, Ziryāb, promoted Eastern lifestyles, sciences and technology first introduced by travellers, poets and philologists on their return from pilgrimages to Mecca. The latter took full advantage of their journey by either studying or teaching the wonders of al-Andalus, soon to become a haven for the Abbasid's enemies. A Cordovan court poet of the period was responsible for introducing the *Bombyx mori* and the first wild fig seeds, the former subsequently turning al-Andalus into the leading silk producer in the Western world.

ʿAbbas ibn Firnas rediscovered the method for faceting rock crystal, while several figures were instrumental in teaching the Andalusians to play chess. Medicine, until then the province of the Mozarabs, passed into Arab hands with the arrival in the land of the immigrant doctor, al-Ḥarrānī. Ibn Firnās instituted the prosody of Khalīl, attempted to fly – achieving rather mediocre results in this endeavour – and, as any good astrologer, he was likewise a good astronomer and set about calculating the celestial ephemerides from the *Sind-Hind* tables brought from the East. He also built a timepiece –probably a water clock – to mark the hours of the day and night. This was of great use for setting the times of prayer since the sundials, of which fragments of five 10th and 11th-century examples have survived to the present, could not be used in all cases.

At about the same time the manufacture of paper was introduced, as were the so-called Arabic numerals. The former, of Chinese origin, was first made in Baghdad in the early 9th century, the technique arriving in Tunis and al-Andalus in the 10th. The nickname of *al-Warrāq* ("paper manufacturer") then came into currency and the earliest Western documents on this type of material appeared: the *Breviarium et missale mozarabicum* of Leiden and the *Glosario arabigolatino*. Arabic numerals, with their inherent feature of position numbering, reappeared in the Middle Ages, in a book by the Easterner, al-Khuwārizmī, (they had been known earlier, and in certain variants, to the Babylonians). Al-Khuwārizmī's name was given to the mathematical terms *guarismo* (compound figure) and *algorism,* which were used in Spain in the 9th century.

In the course of excavating trenches to build the city walls in Moorish Madrid, the earliest remains of *Elephas antiquus* in the area were unearthed and, according to some virtually contemporary Hispano-Arabic verses (854), it seems that a floating-lodestone compass was in use in the Western Mediterranean.

Andalusian culture achieved its independence from Islamic culture in the East with the advent of its caliphate, under which indigenous and foreign elements coalesced harmoniously: cooling systems in mid-summer in noblemen's homes; lighting displays provided by basins of mercury; clockwork toys that left Christians of the North open-mouthed; zoological gardens teeming with strange species, such as talking birds; and an incipient socialization of pharmacology and medicine. All this was incomprehensible to Christian and Jewish minds of the time and they must have been even more astounded when a fleeting caliph at the time of the *fitna* set up, for the first time in al-Andalus and perhaps in the world, a Ministry to Health and Research.

Of paramount importance in this cultural development was the part played by the prince, al-Ḥakam, who was to become caliph with the name al-Mustanṣir. It was at this time that the so-called "Epistles of the Brothers of Purity" arrived in Spain. In essence they cloaked a form of Shīʿah-Fāṭimid ideology, although they were simultaneously instrumental in spreading a major part of Eastern knowledge in an encyclopaedic form on different subjects.

Great religious and political tolerance was exercised during the period of the caliphates, and scientists of different races and religions worked in close collaboration. Chronologically, there were three moments of special brilliance. The first, presided over by Prince al-Ḥakam (c. 940), was characterized by the sojourn in Cordova of the future bishop of Girona, Gomar II, in his capacity as envoy of the Count of Barcelona. He made use of his stay in the capital of the caliphate to write a *"Chronicle of the Frankish Kings"* which, paraphrased in Arabic, was incorporated and preserved in the work of the Oriental historian, al-Masʿudī (d. 956). The introduction of Arab astronomy in Christian lands has also been attributed to Gomar. Simultaneously, the *qadi* Qāsim ibn Asbag (d. 952), assisted by the judge of the Christians, Walīd ibn Khayzurān, translated Orosius' *"Historiarum"* into Arabic, while the *"Cordovan Calendar"* was the joint effort of a consultant obstetrician, ʿArīb ibn Saʿd and the Bishop Rabīʿ ibn Zayd. This work, of which new manuscripts of its Latin traslation *(Liber anohe)* have recently come to light, has survived in its original Arabic form. Cordovan knowledge soon reached the Spanish March, where various astronomical instruments were built (astrolabes, sundials) and part of Maslama of Madrid's astronomical works were summarised in Latin.

The second moment of cultural splendour ensued when the monk, Nicolás y Haṣday ibn Shaprūṭ, instituted the use of Greek as a scientific language, thus allowing for Discorides's version of *De materia medica* to be revised by the Oriental Iṣṭifan ibn Basil. This stream of culture likewise included the physicians Ibn Juljul and, above all, Abū al-Qāsim az-Zahrāwī (the Latin Abulcasis Alsaharavius). His *at-Taṣrīf* ("The Method") is best known for its surgical treatise which was to have an enormous impact on the Christian world, although not among his coreligionists, with the exception of Ibn al-Quff. His descriptions of medicines show that he must have undertaken long journeys and he was known for curing with new techniques – from hallucinogens for treating the mentally disturbed to the invention and use of new surgical instruments, types of suture and the description of rare diseases such as haemophilia, etc. He provided detailed descriptions of lithotomy, amputations, fistula operations, hernias, trepanations, etc. He died in 1013.

Another author whose activity began under the caliphate and continued during the period of the ṭā'ifahs was the *qadi* of Jaén, Ibn Mu'ādh (d. circa 1079). He wrote the first known treatise on spherical trigonometry, which included some wholly original theorems that posterity would wrongly attribute to other authors. Most likely a contemporary of his was Ahmad or Muḥammad al-Murādī, who wrote a treatise on automata that was later copied by Rabí Zag in the court of Alfonso X. Among the mechanisms featured in his machines were parallel grooves for trucks to run along; wheels with any number of teeth; devices for transforming circular into rectilinear motion (not, however, that of a crank-connecting rod); idle wheels; cogs with teeth only in the middle of the wheel, etc. The driving forces were water and mercury flowing regularly onto scales. The machines could have several such scales, each one governing a particular movement and opening and closing the flow of driving liquid to each of them in the manner of valves. When these machines were used as timepieces instead of toys, they were capable of telling the time both during the day and at night – the so-called water clocks.

Fine arts did not reach their height until the period of the caliphate. The only exception to this was architecture, since it was essential for building the mosques that faced Mecca; hence the call for a knowledge of astronomy, too. However, prior to this, during the early period of the Moorish conquest, the Moslems held their prayer services in churches – which they shared with the Christians – adopting whichever wall of the church was nearest to an easterly direction for their *miḥrāb* (the recess marking the direction of Mecca).

Thus, over the former Cordovan church of San Vicente, which as from 748 had been used for the worship of both creeds, ʿAbd ar-Raḥmān I had a new mosque built (785) in the space of twelve months after purchasing from the Mozarabs the part they had occupied until then. In the present-day building, the part erected by ʿAbd ar-Raḥmān I takes in the north-west corner of the prayer hall. It clearly shows the influence of basilican structures, in part due to the fact that the ground plan of a Visigothic church had been converted for the purpose. The mosque has a far smaller patio than those in the East, unlike the highly developed covered area, which is considerably more voluminous than such spaces in the Umayyad mosques of Syria, the miḥrāb likewise being much longer. This mosque comprised eleven naves placed along a north-south axis and, owing to the advantage taken of the Christian basilica walls, the miḥrāb faced southwards instead of being orientated towards the Mecca azimuth.

ʿAbd ar-Raḥmān II demolished the south *qiblah* wall in order to extend the naves, the mihrāb thereby being transferred to the new wall. ʿAbd ar-Raḥmān III an-Nāṣir ordered the current façade with its horsehoe arches and pillars to be built on the north side, since (the previous renovations having rendered the naves excessively long) the north face was in danger of collapsing, opening as it did onto the patio and designed only for its original structure. The largest extension to the mosque was worked during the reign of al-Ḥakam II, as Cordova had grown to such an extent that the faithful no longer fitted into the temple. The south wall was consequently again knocked down and the eleven naves were lengthened to virtually the same extent as their original length. The subsequent enlargement under Almanzor involved setting out in a new direction, since the construction had already reached the banks of the river. The eastern side had therefore to be demolished and eight more naves were added.

The mosque was raised on columns with capitals that had been adapted from earlier monuments. Owing to the vast space that had to be covered and with the object of giving the naves greater elevation, a double row of superimposed arcades was erected, in all likelihood inspired by the design of Roman aqueducts. Such Roman influence can even be seen in the way the arcades are made up of sequences of alternating brick and stone voussoirs. The arches rest on slender columns, so that the building's interior appears to open out like a fan, creating an aerial impression that pits Spanish Arab art against the stodgier, more pyramidal classical.

It was only at the end of the Umayyad period that the foliated arch arrived in the country, having originated in the East. Likewise eastern were the domes; generally of the Persian type, and a network of intersecting ribs was used to divide and support the dome. The arcades supporting the four domes were composed of smooth voussoirs with alternating decoration. Floral motifs came into currency and here become highly stylized, a feature that eventually typified Andalusian art. For his part, al-Ḥakam II ordered a number of mosaics from the Emperor of Constantinople to decorate the part built on his instructions. They can still be seen today on the miḥrāb and its associated dome, on the gate leading to the palace and on that of the imam.

The prime exponent of civil architecture was Madīnat az-Zahrā' (Medina Azara). The life of this city-palace was comparatively brief – it lasted less than a century and was destroyed by the Berbers during the *fitna* and abandoned, after which it was used solely as a source of supply for decorative elements employed by Almoravids and Almohads on their own buildings and even transported to Morocco. The city was exclusively governmental, designed to house the caliph, his court and all state bodies. Excavations currently underway on this site are gradually bearing out the marvels described by chronicles. Located at the foot of the Serranía de Córdoba, it measured 1,518 metres long by 745 metres wide and occupied a total of 113 hectares. It comprised three stepped terraces, each of which was surrounded by walls flanked by towers, giving it the appearance of a fortress, although it was not so. The upper terrace contained the caliph's palace and a number of beautiful alcazars. The middle terrace was taken up by luxuriant gardens and an animal park, while the lower terrace was used for general housing, including the dwellings of slaves and servants employed in the high mosque. Both the latter and the reception hall looked onto the Guadalquivir. The marble used was brought from Carthage and Tunisia and the decoration was based on fairly simple geometric elements, predominantly circular or oval medallions similar to those found in early Moslem and in Byzantine art, and most of the decorative motifs were derived from acanthus or vine leaves.

As a result of these constructions, Cordova became a monumental city and the site of a flourishing industry for luxury goods: ivory boxes for keeping objects or cosmetic creams; glass phials for perfumes; chess pieces made of rock crystal; ornate bronze oil lamps; marquetry of all types, and luxury fabrics (silk, brocade, etc.) manufactured under a state monopoly and used by the caliph as gifts for servants who had won his favour and for great dignitaries from the empire or abroad.

THE ṬĀ'IFAHS

The civil war that put and end to the caliphate was cunningly fueled by the Christians in the north, and the Berbers, Catalans, Leonese, Navarrese and others all tried their hand at the sword to bring down the solid creation that was the Cordovan State. The Arab aristocracy was incapable of forming a united front to face the situation and the Muladíes no longer counted for anything. After twenty years of everyone fighting each other, the Moslem lands were split up into about fifty party states or *ṭā'i-*

fahs, of which some were no more than sizeable landed estates. Taking advantage of the reigning confusion and disputes between the party kingdoms, the Christians marched southwards. Lacking sufficient population to extend their frontiers by colonizing more territories, they instead gradually exacted increasingly higher tributes *(parias)* from the kings of the ṭā'ifahs.

The ṭā'ifah states were grouped into three major ethnic blocks: the Arabs, who prevailed in the Ebro and Guadalquivir river basins; the Slavs, who spread along the Levant coastline, and the Berbers who, scattered about everywhere, were of humbler station and large in number, being consistently plundered by their neighbours with relative ease.

This myriad of sovereigns, incapable of defeating the Christians in battle, made up for their military inferiority by fostering culture and patronizing the scholars of their choice. It was within this climate that the so-called *shuʿūbī* movement developed. It grew throughout the Islamic world, but attained its greatest heights in the Slav states in Spain. The *shuʿūbīs* were, on the whole, good Moslems descended from the Muladíes, although they felt inferior on account of their lack of a clearly Semitic family tree. They claimed certain merits as common to their race, prided themselves for their nationalism and opposed all the traditions that had been imported over the period of four centuries and gradually assimilated. The most characteristic representative of this movement, Abū ʿĀmir ibn García, had, as can be seen, a name that betrayed his Hispanic origin, so that it is unusual to see how he and his supporters upheld the supremacy of the Andalusians in Arabic and professed the Moslem religion. They actually confronted the Arabs by wielding the two elements that the latter had created: the language and their faith.

Contemporaneously with this quarrel and following the trend set by Saint Isidore, the development of a eulogistic literature began to take form. These *loores* ("panegyrics" or "praises") pitted the virtues of the people of al-Andalus against those of the Africans, embodied in the form of an Andalusian city confronting a Moroccan one. The genre thus born was subsequently developed further and lasted until the very end of Andalusian Islamism, its most celebrated exponents being ash-Shaqundī (d. 1231) and Ibn al-Khaṭīb (d. 1374).

Seville constituted the most important ṭā'ifah. It overran several Berber and Arab kingdoms and spread towards the Levant under the rule of a forceful and cruel sovereign, al-Muʿtaḍid, and then a poet king and son of the latter, al-Muʿtamid. Despite the Sevillan party kingdom's superiority over its coreligionists, it was unable to resist Christian attacks, not unlike the Arabs' view of Europe in the 19th century – they were blinded by the confort and high standard of living afforded by the ever greater number of Moslem slaves captured in battle.

The Jewish minorities and subsequently the Mozarabs aroused the xenophobia of the faqihs and the common people, this time on a massive scale. The latter were increasingly burdened by taxes exacted by their sovereigns, who were thereby able to meet the increasing taxation imposed by the Christians. The first spark of intolerance was ignited in the Berber ṭā'ifah of Granada ruled by the *zīrīs,* whose sovereigns had entrusted the administration of the state to the Jew, Samuel ibn Nagrella. The latter was succeeded by his son, Joseph. Given this state of affairs a poem composed by the *faqih* Abū Isḥāq de Elvira and directed against the Jews sparked off local passions and a veritable pogrom, recorded in detail in the zīrī king ʿAbd Allāh's *Memories* (translated into Spanish by Emilio García Gómez), either bringing about their annihilation or forcing them to seek refuge among the Christians of the north (1066).

The party kings of the Levant led quieter lives than the others, since the Christian reconquest was less active in this region. At the beginning of the 11th century one of them, Mujāhid de Denia, managed to assemble a fleet that proved capable of confronting that of the incipient Italian republics and of occupying the island of Sardinia.

The situation of the ṭā'ifahs became intolerable from the moment Alfonso VI came to the throne in 1072. It was during his reign that Moslems were consciously thought of as usurpers and enemies of Christianity and liable to be sent back to Africa as soon as possible. The Christian incursions, which had stepped up considerably, rearched as far afield as the Strait itself and weakened Toledo's defences. This stronghold, which was vital for control of the Tagus, was occupied in 1085 while El Cid and his host, who fought at the orders of the Banū Hūd of Saragossa, were relentless in disturbing the peace of the Levant. Despair and anxiety set into the Moslem people, stirred up by the faqihs, who portrayed the party kings as figures capable of betraying the holiest tenets of the Koran and of burdening their subjects with illegal taxation for the sole purpose of remaining in power and thus prolonging their lives of dissipation and luxury. Such accusations were no overstatement of the true situation and the party kings, in the face of collective pressure, had no choice but to jointly implore the aid of Yūsuf ibn Tāshufīn, head of the Almoravid tribes who had for centuries grazed their camel herds in the Sahara and who, shortly after converting to Islam, had endured a terrible drought that drove them in search of pasturage around the two edges of the desert – Morocco and the Sudan.

The brief, anarchical period of the ṭā'ifahs played a vital part in the development of culture in al-Andalus. Many Cordovan sages, tired of the lack of safety prevailing in the city during the *fitna,* left in search of a more peaceful refuge. The disciples of Maslama, Abulcasis and other celebrated figures fled to Seville, Toledo, Saragossa, Valencia and other places, taking their books with them. There they set up new working groups, like the one in Toledo centred around the qadi Ibn Ṣāʿid. In Saragossa, a group of Jews began translating Arabic texts into Hebrew. In the same city, one of Maslama's disciples, al-Qarmānī, introduced the *Epistles of the Brothers of Purity*. Such unhampered collaboration between the three religions continued for some time, and it was only at the end of the century that certain suspicions towards the *dhimmī* were aroused among the Moslems. The headway made by the Reconquest awakened some mistrust, and in 1100 the Sevillian faqih, Ibn ʿAbdūn, wrote: "no scientific books should be sold to the Jews or Christians, except those dealing with their law, since they then translate the scientific books and attribute them to themselves and their bishops when they are in fact Moslem works". The fact that they should forbid the sale of books implies they were being sold (something that is not done cannot be prohibited) and it would not be too audacious to assume that the Moslems even helped their customers to read them whenever necessary.

At this point a profound change occurred in relations between Moslems and *dhimmī.* The Christians progressively took larger numbers of Moslem prisoners, among whom there were naturally some scientists and technicians, whom they forced to teach them their jealously guarded secrets of science. In the 12th century, a prisoner from Almería had to teach the bishop who captured him his mathematical knowledge. In the 13th century, Ramón Llull studied under a Sarracen slave of his, and so on. In other instances – such as that of Alfonso X the Wise – it was the Jews and Mozarabs who willingly passed on culture, while the Moslems such as ar-Riqūṭī only lent themselves to such activity when circumstances forced them to do so.

The group of refugees that settled in Toledo devoted themselves mainly to the study of astronomy. Their findings, both theoretical and practical, may be regarded as sensational and were to influence the evolution of this science up to the time of Kepler. Prominent among them was Azarquiel (az-Zarqālī), who had initiated his scientific vocation as a simple craftsman who built instruments. His skill and intelligence soon led him to become the leader of his group and when Toledo fell into Christian hands he continued his work in Andalusia. He was most likely the craftsman behind a number of observational instruments, of which the Arabic descriptions have survived to the present, either in the Hebrew translation or, in most cases, in the medieval Castilian version, commissioned by Alfonso X the Wise, of the *Books of Astronomical Knowledge.* Some medieval copies of this work have been preserved intact.

The astrolabe, which had already been in use for some time, had at least two drawbacks: the poor approximation, given its meagre dimensions, and its considerable weight, which rendered it unsuitable for being transported. To overcome the first disadvantage, recourse was had to the construction of gigantic instruments and, in the second case, new systems of projection were sought. Prominent in this field was Azarquiel himself and his colleague, ʿAlī ibn Khalaf, who respectively invented the *azafea* (a type of rete) and the world chart. Another device invented during this period was the *ecuatorio,* designed to show planetary movements for didactic purposes and to determine their positions at any given moment without making calculations. Few descriptions and even fewer specimens of this have survived but, unless the opposite can be proved, it is held to be an Andalusian invention from the 11th century or earlier. The *Books of Astronomical Knowledge,* which featured the apparatus devised by Azarquiel, show a plate designed for Mercury on which this planet's deferent has an oval shape. This notion is similar, although not identical, to Kepler's, prior to his formulation of Mars and the other planets revolving around the sun in elliptical orbits.

The amount of data assembled by Azarquiel was enormous. They were used as the source for constructing the *Toledan Tables,* forerunners of the *Alphonsine Tables.* The former were so highly regarded that they were translated into Greek – via Latin – in about 1340.

Alchemy achieved a period of great splendour at the time. One of Maslama's disciples – who should not be mistaken for the latter, despite the name – Abū Maslama, wrote two important books on the subject: the *Ghayāt al-ḥakīm* ("The Goals of the Scholar"), the translation into Castilian of which was commissioned by Alfonso X the Wise and re-translated into Latin under the name, *Picatrix,* and the *Ruṭbat al-ḥakīm* or "Step of the Scholar", which set out to divert the attention of its readership from previous bibliography and, above all, to describe the behaviour of metal bodies and guide the alchemist in the procedures of the *Opus*. It includes an experiment carried out by the author which is of considerable interest. "I took", he says, "natural, liquid mercury, free of impurities, and placed it in an egg-shaped glass vessel. This I placed inside a pot (over a water bath), leaving the whole apparatus to heat over a slow fire. I kept the pot at a mild temperature, so that it could be touched with the hand. I heated the vessels day and night for four days and then opened them. I saw that the mercury, which had originally weighed a quarter of a pound, had been entirely converted into a red powder, smooth to the touch, although it had preserved its original weight."

The natural sciences and medicine were furthered in the 11th century by followers of Ibn Juljul, al-Jabalī and Ḥasdāy ibn Shaprūṭ. Outstanding figures included Ibn al-Bagūnish (d. 1056), a native of Toledo, to which he returned after studying at Cordova, and Ibn Wāfid (d. 1074), who had several works translated into Latin or Romance languages: *The Simple Medicines, The Pillow Book* and *Agriculture*. The latter work is important, not only for the influence it exercised in the Renaissance through Gabriel de Herrera, but because it revealed the interest that Spaniards of the time professed for things of the countryside. Likewise, on the basis of this and other such works, an inventory of agricultural knowledge could be drawn up in the 11th century. Ibn Wāfid also planted the *Huerta del Rey* ("The King's Market Garden") in Toledo. It extended across the meadow between the palaces of Galiana and the river before the Alcantara bridge and was employed for various experiments in acclimatization and perhaps also for the artificial fertilization of palm trees. The latter was soon to become public knowledge (in ancient times it had been practised since the Assyrian period) if we are to credit the following verses written by Ibn Zaydūn to al-Muʿtamid:

You have fertilized my spirit; collect, therefore, the early fruits,
The fruits of the palm belong to he who has pollinated it.

The treatises on agriculture, of particular practical importance, unlike those on botany and pharmacology, used to contain several chapters dedicated to the rearing of poultry and invariably included some paragraphs on the breeding and training of messenger pigeons. They were taken on caravans and ships and used to communicate news of their position and incidents during the homeward journey. This courier system was already in vogue in al-Andalus at the time, since we know that al-Muʿtamid, following the battle of Zalaca, sent word to Seville by messenger pigeon; that al-Muʿtaṣim, when away from Almería, corresponded with his wives using the same system. It must have been a widespread practice, since as far as we know the service tariff was not inordinately expensive.

Ibn Wāfid was succeeded in his post at the *Huerta del Rey* by Ibn Baṣṣāl, the author of *al-Qaṣd wa al-Bayān,* translated into Castilian Spanish in the Middle Ages. Other agronomists such as Ibn Ḥajjāj (d. 1073) and at-Tignarī continued the work of their forerunners in the field of agronomy and a vast summary of such works, a veritable mosaic of quotations, was written by Ibn al-ʿAwwām (d. 1175) and translated into Castilian by Banqueri at the beginning of the 19th century. The last Arab epigone of these agronomists was the Granadan, Ibn Luyūn (d. 1346), who bequeathed a didactic poem on the subject.

Little is known about the art of the period, while the most important building of the time was the Aljafería palace at Saragossa, a replica of which was built at Balaguer. The structure marked, strictly speaking, a continuation of the ideas prevailing during the caliphate: the lines are interweaving, but two new elements are incorporated – a simple palm, one symmetrical and another asymmetrical.

While the development of fine arts in the 11th century is virtually unknown to us, as a result of the dispersion of craftsmen during the civil war, which led the craft of ivory carving to Cuenca and the itinerant workshops of architects to the north, we do have detailed information on the period's literary history.

While dealing with the Umayyad period, virtually no mention has been made of Hispano-Arabic literature. This is not because it did not exist, but is due to the fact that our knowledge in this field prior to the 10th century was exceedingly scant. We did, of course, know of the verses occasionally improvised by the emirs, but it is a cliché among classical literary critics that all Arabs are adept at extemporizing in verse; we must bear in mind that in Arabic literature, poetry has always and still does carry more weight than prose. We were also familiar with a few courtly poetry compositions although, on the whole, the available knowledge is rather paltry. Most of it has been lost, as was the case with that great anthology, *El libro de los huertos* ("The Book of Orchards"), by Ibn Faraj of Jaén (d. 976), until the publication of some old Arabic manuscripts around 1960. Several volumes of *Muqtabis,* by Ibn Ḥayyām of Cordova (d. 1075), have thus brought to light a great number of verses by court poets and, in particular, the *Anthology* by the slave trader and physician, Ibn al-Kattānī (sometimes written, Ibn al-Kinānī), preserves a series of thematically ordered fragments of the poets who went before him. Given that he died in 1030 in Saragossa – where he had fled after the *fitna* – and that his work, *The Book of Comparisons,* must have been the text book which, with its corresponding musical accompaniment, was memorized by his female slaves in order to increase their sales value when sold to the Cordovan bourgeoisie and subsequently to Christian lords in the Pyrenean states, we are now in an excellent position to become more fully acquainted with the above-mentioned poets and others whose names are unknown to us. We may frankly and unashamedly admit that, prior to the 10th century, none of these poets nor any of the prose writers whose work has come down to us in fragmentary form was up to the standard of their Oriental counterparts.

One form of Arab poetry was known as "qasida" *(qaṣīdah)* and comprised three parts: reminiscence of the beloved or *nasīb;* the description of a journey or *raḥīl* and, finally, the panegyric praise – *madīḥ* – or censure – *hijā'* of the person to whom the poem is dedicated. The *madīḥ* earned the poet a gift, while a censure could send him to his death, since in this way the offended party was able to cleanse his honour *(ʿar).*

Recent years have likewise enabled us to discover the *divan* (collection of poems) of the greatest poet of al-Andalus, Ibn Darrāj al-Qasṭallī who, like al-Kattānī, had to seek refuge in Saragossa after having been Almanzor's greatest court poet. Like other poets of his time, his public station required him to compose numerous poems recounting events. Prominent among them and of special interest to modern readers were those narrating the political events affecting Christian Spain, particularly Castile and Catalonia which, judging from what the poet sings, had a much better political understanding of each other in the 11th century than in the 10th. Ibn Darrāj al-Qasṭallī, along with ar-Ramādī, ash-Sharīf at-Ṭalīq, Saʿīd of Baghdad, al-Muṣḥafī and several others had by then formed a core of poets comparable to any others in the East.

Andalusian poetry reached its moment of maximum splendour, however, under the ṭā'ifah kings. The leading group of poets lived in a kind of academy in Seville supported by al-Muʿtamid, who was both poet and king. He married Iʿtimād because, on one occasion when he was strolling along the banks of the Guadalquivir, she was able to complete, before Ibn ʿAmmār, the prince's friend, the following hemistich:

On these waters the wind works the finest mail...

and Iʿtimād, who was washing her master, Rumayq's, clothes, continued:

were it to freeze; what defence in battle!

The married couple found happines in each other's company and, whenever duty called him away, al-Muʿtamid though of his wife constantly and wrote her love letters which at times bordered on the pornographic. Here is one of these letters based on the Spanish translation by Saavedra, the formal elements being preserved as far as possible:

Image so distant and hidden from view,
and everpresent in sundered breast.
To thee I sorrowfully send my greetings mingled
with weeping, insomnia and fiery earnest.
If empire thou hast achieved, where no one placed it,
in meekness I came at thy behest.
My longing and thine are ever but one
Would that our most coveted soon become blessed!
Affirm the ties that bind us together;
no surrender to absence thy firm fondess.
Dearest of names do these verses clad,
for the first of their letters say Iʿtimād.

Al-Muʿtamid, following his defeat by the Almoravids towards the end of his life, was exiled to Agmat in Morocco. At times in prison and at others under escort, he spent his final days there (d. 1095) reminiscing about better times and receiving visits from some literati who could not easily forget the era of his patronage.

Arab poetry rarely includes poems alluding to periods of hardship, so that those by al-Muʿtamid, which in some respect are comparable to the verses composed by Abū Firās al-Ḥamdānī (d. 988) during his captivity in Byzantium, occupy a prominent position in the anthologies.

Ibn Khāqān, the well-known historian of Hispano-Arabic literature who, like his collegaue Ibn Bassām of Santarém (d. 1147), was virtually a contemporary of these events, says of al-Muᶜtamid that "he was the most liberal, magnanimous and powerful of all the party kings in al-Andalus. His palace was a guest house for pilgrims, a meeting place for the ingenious and the centre on which all hopes were based, so that no other court in the ṭā'ifahs of the time received such a wealth of leading sages and poets."

The Toledan astronomer. Azarquiel, did of course seek refuge in Seville, but it was here that literati like Ibn Ḥamdīs (d. 1132) – who wrote descriptions of palaces – and Abū al-ᶜArab (d. 1112) –both Sicilians who fled the Norman conquest – came to settle. Here, too, a welcome was extended to people from all over al-Andalus, to poets such as Ibn al-Labbāna of Denia, ᶜAbd al-Jalīl of Murcia and Ibn ᶜAmmar of Silves. Poetry was cultivated with less intensity in the remaining party kingdoms, although Ibn ᶜAbdūn of Badajoz dedicated a moving elegy to his lord, al-Mutawakkil, on the latter's execution by the Almoravids. This did not, however, prevent him from subsequently serving the new lords.

Apart from Ibn Darrāj al-Qasṭallī and al-Muᶜtamid, the poet who has perhaps earned most attention from the critics is Ibn Zaydūn (d. 1070). His love for Wallāda, an Umayyad princess and poetess, inspired excellent verses which included those making up the qasida in *nūn* (that is, it rhymes in "n"), wherein the poet laments the absence of his beloved:

Oh, how close together we were, and today how far!
The delightful time of our meetings,
Given way to the harshest separation.

The fame of this composition became so widespread that it worked its way into popular literature and some of these verses now form part of the current text of *A Thousand and One Nights*. These ill-fated love affairs prompted Ibn Zaydūn to write an epistle directed at his fortunate rival, Ibn ᶜAbdūs, pretending it had been composed by Wallāda. In this protracted epistle he ridicules his contemporary as severely as the pen of an Arab could do. On learning about the composition and recognizing the mark of its author, Wallāda reacted with a rage she expressed in some amazingly intense verses rebuking her former lover.

The craft of the poet-journalist was still in currency and it was thus that Ibn ᶜAssāl recited the following after the fall of Toledo:

Andalusians! Spur on your mounts.
To remain here would be an error.
Garments are wont to fray at the edges.
But I see that the Peninsula's garment has from the beginning been torn down the middle.

Or when Valencia was irrevocably falling into the hands of El Cid, al-Waqqashī wrote the following elegy, preserved in translated form in the *Crónica General:*

Valencia, Valencia, how many afflictions have befallen thee,
and now when the time has come to lose thee;
For if thy fortune were to escape, it would be wondrous
to all who chanced to see thee.
Should I go to the right, I would die by the spate, and to the left by the lion.
Should I go forwards, I would die in the sea;
Should I turn back, I would burn in the fire.

Literary prose was a genre cultivated by the Arabs under the name of *ādāb*, although it has always been overshadowed by poetry. Prominent works during the period of the caliphate were *The Sole Necklace,* an imitation by Ibn ᶜAbd ar-Rabbihi (d. 940) of books compiled in the East for the purpose of teaching general knowlendge, and the *Book of Dictates,* by the Iraqi immigrant, Abū ᶜAlī al-Qālī, which fulfilled an important function in the cultural education of al-Andalus.

Perhaps the leading prose writer was Ibn Shuhayd (d. 1035), the author of a poetic epistle dealing with the literary merits of poets. It seems that this was the source of inspiration for the virtually contemporary and Oriental, al-Muᶜarrī, in his well-known *Epistle of Pardon* in which purely literary considerations are enhanced by those of a philosophical nature.

The Epistle of Ibn Shuhayd was dedicated to Ibn Hazm, a-Zāhirī jurisconsult and polygraph who had brought upon himself the wrath of the Malikite faqihs, who publicly burnt his works, some copies of which were fortunately salvaged. Apart from his technical works such as *History of Religions,* chronologically and scientifically a pioneering work of its genre, which was only surpassed in the 19th century, attention should be drawn to his *Ring of the Dove,* dealing with love and lovers. This has been translated into all cultured languages and was translated into Spanish by Emilio García Gómez. Written in 1027, it constitutes a study of love in all its peculiarities and mentions by name those figures of the Cordovan court that, for some reason or another, were involved in love affairs worthy of being typified. In this work, Ibn Hazm's aim is clearly moralistic. While recounting the excesses and aberrations of love, he does so for the purpose of reprimanding such practices, quoting anecdotes concerning persons of noble bearing whose names, cited in the book, were common knowledge at the time.

THE AFRICAN INVASIONS

The Almoravids were so called because, having become Moslem converts at the beginning of the 11th century, they had taken Islam to the Southern Sahara where they founded monastery fortresses for their members – half monks, half soldiers – to find safe haven. This type of construction – known as *rābiṭas* (hence the Spanish place-names Rápita, Rábida, etc.) – sheltered their occupants, the Murābiṭūn, or "Those Who Dwell in Frontier Fortresses", hence the derivation "Almoravids". Despite their conversion to a patriarchal faith, these Tuaregs had a matriarchal social organization which they preserved to a large extent. This accounts for the structure of their proper names and places-names such as Vinaixa ("children of ʿA'isha") and for the influence which – outside the harem – women wielded in public affairs.

Their sovereign, Yūsuf ibn Tāshufīn, had been called upon several times to help the ṭā'ifah kings, who were incapable of dealing with the disturbances caused by the faqihs and the common people. The latter were incited by the heavy taxation imposed on them by the kings to pay the tribute in turn exacted by the Christians and by the rising inflation, despite efforts to mint low-quality coins. He eventually decided to answer their calls for assistance, crossed over into al-Andalus, seized Algeciras from al-Muʿtamid – who surrendered the stronghold without more ado – and, having established a bridgehead, marched northwards in search of Alonso VI's Castilian army. During his advance, the court poets of Seville dedicated their finest dithyrambs to the good-hearted Yūsuf. He was, however, unable to understand them, since he had only just begun to learn a smattering of Arabic that would allow him to be a good Moslem, his native tongue being Berber. Thus, just like Alfonso VIII a century later when he listened to Provençal troubadors, he was only able to make out a melodic recitation which served as a constant reminder that those poets were "doing their job" to earn their pay in the form of gifts.

The clash between Moslem and Christian forces took place at Zalaca in 1086. The Almoravids won a sound victory thanks to the use of a new strategy. It consisted of the supreme commander giving out battle orders in the form of drum rolls from atop a hill overlooking the battlefield. The drum rolls were duly interpreted by moving battalions in the most suitable direction. The Moslem soldiers, protected by buckskin shields that almost invariably repulsed the enemy arrows, triumphed across the whole line. But the victors were unable, or rather, reluctant to exploit their triumph, because one of Yūsuf's sons had just died in Africa.

Seriously wounded, Alfonso VI had to take refuge at the stronghold of Coria. He was able to save Toledo since, despite the incitement of the Andalusian faqihs, the Almoravid retreat towards Africa was practically total and left the organization of al-Andalus as it had first been found. Under such circumstances, Alfonso VI was soon able to recover and, from the castle of Aledo near Murcia, he again harassed the ṭā'ifahs. The latter, incapable of defending themselves, were once more forced to implore Yūsulf's aid. Yūsuf besieged the castle with little success in 1088, although the Christians evacuated it shortly afterwards. He thereafter set about wresting the states from their party kings and absorbing them into his domains. A reduction in taxation, always a popular measure, was followed by other less spectacular ones: he bolstered the influence of the faqihs, who went so far as to publically burn the works of al-Ghazālī, and discriminated ever more vehemently against the Mozarabs. His generals waged a number of successful campaigns against the Christians, but without winning a decisive victory – they were unable to prevent El Cid occupying Valencia and turning it into a veritable ṭā'ifah.

His successor, ʿAlī (1106-1143), almost lived to see the end of his dynasty. Triumphant during the early years of his reign, his forces rapidly declined, the Saharan tribes becoming absorbed by the superior culture with which they lived in close contact. Their obliteration was not due to Christian swords but to the easy living in Andalusian towns and cities. The upshot of this was that new ṭā'ifah kingdoms soon sprang up independent from the central government.

In Africa, the situation had likewise grown unfavourable for the Almoravids ever since a Berber, the Almohad Muḥammad ibn Tūmart, backed by tribes from the Atlas mountains, undertook an uprising against ʿAlī. The latter attempted to check the serious setbacks by deporting the Mozarabs to the vicinity of Salé and Mequínez in 1126. He recruited Christian troops which, under the command of Count Reverter of Barcelona, confronted the increasingly more powerful Ibn Tūmart in Africa, and in al-Andalus he deployed Moslem forces against the Christians, whom they combated with gradually waning impetus. This policy failed to have the desired effect – the Christians, led by Alfonso the Battler, reconquered most of the Ebro and Jalón valleys and, in the course of a daring raid into Andalusia in 1125, they evacuated the Mozarabs who wished to follow them to the north. The Castilian Alfonso VII the Emperor wrought havoc in the western part of the Peninsula, either directly or with the help of his Moslem vassals, and, to crown the misfortune, Reverter's Christian militias were defeated in Africa.

This state of affairs led Ibn Tūmart's successor, ʿAbd al-Mu'min (1130-1163), to institute his authority in Africa and to start the conquest of al-Andalus. The Peninsula was thus invaded by the Almohads *(al-Muwaḥḥidūn)* or Unitarians, so-called for professing a doctrine that involved purging Islam of religious innovations that had crept into the faith over the centuries. The religious reforms they introduced were on many occasions reminiscent of those instituted by the Wahhābīyah centuries later and which have endured until the present in Saudi Arabia. Often finding themselves restrained and even openly opposed by the masses, led by Moslem monks, the Almohads assailed the latter and the Malekites who had failed to check the development of popular mysticism. Considering it necessary to consolidate their nascent empire, they attacked the minorities that still survived within it, particularly the only one thriving in al-Andalus – the Jews. The latter, having managed to avoid discrimination by the Almoravids by crossing the ambitious palms of the Lamtūnahs with gold, succumbed to the Almohad pressure that presented them with the dilemma of either emigrating or converting to Islam. Many Jews opted for the first alternative and set off for the Christian states in the north where the low population made itself sorely felt. Others chose to renounce their faith, at least ostensibly –such was the case of Maimonides – and retain ownership of their property.

The Almohads set up a homogeneous state in the religious sense. They expelled the Normans from the African Coasts, where they had just set foot, and brought all their might to bear against the second Andalusian party kings, foremost among them being Zafadola and Ibn Martínez. A long series of campaigns finally gave them absolute hegemony over al-Andalus – except for the Balearic islands, which for several years continued in the hands of the Almoravid family of Banu Ghanīyah. Thereafter, having engrossed their fighting ranks, they launched a full-scale attack against the most dangerous Christians, the Castilians of Alfonso VIII, whom they defeated at the battle of Alarcos (al-Arak) in 1195 under the command of the caliph Abū Yūsuf-Yaʿqūb al-Mansūr (1184-1199). Just a few years later, Alfonso VIII would take his revenge at Navas de Tolosa (al-ʿIqāb) in 1212, when he in turn routed the Almohad caliph, an-Nāṣir (1199-1213).

The second half of the 12th century was the final period of Islam's major political hegemony in the West, which the Almohads had completely unified under their aegis. They had built up a fleet of warships capable of tackling that of the Italian republics and with such a reputation that Saladin asked for its assistance in blockading the ports of Palestine, then in crusader hands. The Almohads, well aware of their capacities, chose not to embark on such an adventure and contented themselves with their dominion over the Western Mediterranean and their control over its entrances, Gibraltar and the Strait of Sicily. Strangely enough, the Almohad navy's hegemony was not particularly constructive: it was hardly ever used for trade purposes, which the Italian and Catalan fleets were allowed to control. This detachment from maritime trade was not exclusive to them alone – ʿAbd ar-Raḥmān II, an-Nāṣir and, much later, Charles III and Charles IV followed the same policy. It seems that Spain, whenever possible, has maintained strong fighting squadrons while neglecting the merchant navy.

The victory at Navas de Tolosa and the expedient policy of resettlement by the North of regions bordering on the Sierra Morena, allowed the Christian armies to move down permanently into the Guadalquivir river valley and take over the best areas. Jaén, Cordova and Seville fell into their hands and the inhabitants were expelled shortly afterwards. The great uprising by the Moors of Andalusia in 1263 led to the major Moslem landowners who had shored themselves up behind the new frontiers being stripped of their possessions and replaced by the Christians. This policy, which prevented largescale contact between Christians and Moslems, saved the former from undergoing a process of Orientalization.

The reconquest was virtually completed by the 13th century, since the disintegration of the Almohad empire prevented the Africans from coming to the Andalusians' aid. Likewise the Ḥafṣid dynasty based in Tunis lacked the resources to check the advance of James I the Conqueror who was occupying the entire Levant. The Castilian fleet attacked the Atlantic coastline of Morocco (Salé, 1260), while the Catalan navy cut off all movements by the Tunisian vessels. While the Africans were thus immobilized, salvation came to Andalusian Islam at the last moment, chiefly because of a last party king, Naṣrid Muḥammad ibn al-Aḥmar "The Red" (1231-1272) who, setting himself up in Granada, was sufficiently wise to declare himself a vassal of the Castilians and refrain from giving the latter cause for complaint. He was thereby able to gain precious time for his cause; enough for dynastic strife to take root in Castile, while in Morocco another set of Berbers, the Marīnids, siezed power.

Moving on now to the field of science, we come across an outstanding figure, a scholar in all fields of learning and a true specialist in some. The man in question was Ibn Bājjah or Avempace (b.c. 1095 – d. 1138) of Saragossa. He studied under the leading masters in his native town and in Valencia, and then went into local politics during the first two decades of the 12th century. He subsequently emigrated to the south of the Peninsula shortly before the Christian conquest and finally to Morocco, where he died. In the course of an eventful life in which he was both minister and prisoner, he met Averroes' grandfather, who was a qadi, when he was in Cordova.

Apart from his important philosophical, literary and musical production (he appears to have been the artificer of the poetic *zejel),* he laid the fundations for a revolution in astronomy and mathematics. Astronomy, which by then was well-known and had been the object of study for several years, was bent on restoring Aristotelian ideological principles. The latter had not only been discarded during the development of the Ptolemaic system, but also partly destroyed in the course of modifications introduced by the Moslem scientists themselves, without ever expressly stating such designs. Avempace realized that the epicycles employed by Ptolemy destroyed Aristoteles' theory of homocentric or concentric spheres. Maimonides (d. 1204) stated that the use of eccentrics was likewise unnatural, since the Earth then became displaced away from the centre of the universe, while Averroes (d. 1198) asserted that neither epicycles nor eccentrics could account for astral movements in accordance with Aristotelian philosophy. He consequently implied that direct and retrograde planetary movements could be explained in terms of helicoidal motion.

All these criticisms were correct but destructive. Ibn Ṭufayl (d. 1185) and al-Biṭrūjī (d. c. 1230), on the other hand, attempted to devise a new world system. Ibn Ṭufayl was most likely the first Moslem to make applicable to eccentrics the criticism that Avempace had levelled at epicycles. Al-Biṭrūjī's *Kitāb al-hay'a* ("Book of Astronomy"), soon translated into Latin and Hebrew, set forth a new theory which appears to have precedents in ancient times. He postulated a perfect circular motion of spheres, whose axes of rotation passed through the centre of the earth and were placed at angles to one another. The system was, however, not borne out by calculations and Averroēs himself – the former's master – held that only time and repeated observation and calculation would be able to prove his disciple right or otherwise. But, whatever the astronomical value of this publication, it provided the link accounting for how the physical idea of *impetus* was transmitted to the West, since Averroēs had attributed to Avempace concepts that actually dated back to John Philoponus of Alexandria. He also argued a dynamic treatment of the same, which had already been followed by Giles of Rome.

At about the same time – circa 1150 – the Sevillan astronomer, Jābir ibn Aflah, of whom very few biographical details have survived, wrote an *Astronomy* that was immediately translated into Latin. It has recently been shown that some of his statements, particularly those concerning trigonometry, were not actually his at all and had been well-known in 11th-century al-Andalus. His observations, summarized in the prologue, reveal more detail than depth, although they are still of some interest. He demontrated that a sphere is the solid with the greatest capacity for a given surface area, thus tackling the issues raised by Archimedes. From an astronomical viewpoint, he alluded to a number of shortcomings in the *Almagest,* although none of them substantial: the fact that Ptolemy should not have demonstrated why the eccentricity of the upper planets is divided into two equal parts and that he should have regarded Mercury and Venus as being located below the sun when parallax shows they are above it. Particularly edifying is his description of an astronomical instrument, the *torquetum,* the invention of which was wrongly attributed to Regiomontanus, although the latter was merely responsible for making the device known in the Latin world. The original form of this instrument underwent marked changes, which accounts for the discrepancies between various written and iconographic descriptions of it that have survived to the present.

As mentioned earlier, Avempace was a many-sided sage. He studied mathematics with the king of Saragossa, al-Mu'tamin

(1081-1085), the author of an encyclopaedia entitled *Kitāb al-istikmāl wa almanāẓir*– the manuscript of which, given up as lost, appears to have come to light just recently – and under the Valencian, Ibn Sayyid. The work of the former, which was apparently unfinished, dealt with mathematics and optics and was known to Maimonides and his disciple, Ibn ʿAqnīn, in summarized form. The work of Ibn Sayyid was evidently handed down by word of mouth since, during his stay in Valencia, Avempace attended his courses and compiled a summary of them, still preserved in very bad handwriting. Both works provide us with an unexpected glimpse of the extent to which mathematics had developed in the Peninsula. Issues raised included, for instance, the problems arising from the intersection of curves or conical surfaces with warped ones, when the intersecting line is consequently not located on a single plane. He likewise studied surfaces of the third and higher degrees and introduced generalizations and problems which until then had never been broached. However, these observations are provisional and cannot be established more specifically until new manuscripts come to light.

Medicine was cultivated by the Avenzoar family (Ibn Zuhr) for five generations. The eponym of this family was ʿAbd al-Malik of Talavera de la Reina (d. 1078) who took advantage of his pilgrimage to Mecca to study medicine at Kairouan and Cairo and, on his return, became private physician to Mujāhid of Denia. His son, Abū al-ʿAlā (d. 1130) – known variously to the Christians as Aboali, Abuleli, Abulelizor, etc. – had a solid religious and literary education but, above all, received sound medical training. He worked in the service of the Sevillan ṭā'ifah king al-Muʿtamid and was later vizier and physician to the Almoravid, Yūsuf ibn Tāshufīn. During his time a copy of Avicenna's *Qānūn* reached the West. Abū al-ʿAlā purchased the work, read it and subsequently refuted some of its passages.

His son Abū Marwān (d. 1161), the Abhomeron Avenzoar of Latin and friend of Averroes, wrote the celebrated *Taysir,* a manual of medical technique and prophylaxis that was translated into Latin by Paravicini (c. 1280). This work carries the earliest description of a pericardial abscess, and recommends tracheotomy and force-feeding via the oesophagus or rectum. Its author was one of the discoverers of the itch mite. He enjoyed widespread fame as a practitioner and Averroes himself, at the end of his *Colliget,* refers to the *Taysir* for any matter concerning therapeutics. Abu Marwān's son and grandson, although less important figures, were likewise physicians under the Almohads.

Averroēs (1126-1198), in addition to being a great philosopher, was an eminent physician and outstanding scientist. The grandson of a Cordovan qadi (hence the latter is referred to as "the grandfather", and the former as "the grandson"), he studied medicine under Abū Yaʿfar Harūn of Trujillo. His extraordinarily good memory led him to learn several books by heart, among them works by Aristotle. His commentaries often carry the latter's very words and grammatical phrases, although structured so as to accommodate 13th-century thinkers. Around 1153 he went to Marrakech, where he carried out astronomical observations and was introduced by Ibn Ṭufayl to the Almohad caliph, Abū Yaʿqūb Yūsuf (1163-1184). As from then and until 1195 he won favour among the Almohad caliphs and held important positions in the administration, becoming qadi of Cordova and Seville. In 1182 he succeeded Ibn Ṭufayl as court physician, his fame in medicine having become widespread after the publication in 1169 of his *Kulliyat* or *Colliget.*

Twelve years later he lost favour for political reasons. The caliph Yaʿqūb al-Manṣūr, who was preparing the Alarcos campaign, saw fit to rouse the masses and win over the followers of the faqihs who, as always, frowned upon the study of philosophy. Averroēs was exiled to Lucena, his philosophical works banned, and a copy of each of them burned. Once the Christians had been defeated, the caliph returned to his former habits and reinstated Averroēs, who died shortly afterwards in Marrakech. His body was taken to Seville where the renowned mystic, Ibn ʿArabī, attended his funeral in the cementery of Ibn ʿAbbās.

The study of medicinal plants came into its own from the 10th century onwards. Al-Bakrī (d. 1094), the anonymous botanist published by Asín (c. 1100), al-Ghāfiqī (d. 1165), Abū al-ʿAbbās an-Nabatī (d. 1239) and many other Andalusians had contributed to the vast growth in the number of simples known to Dioscorides. All such contributions were assembled by the botanist from Malaga, Ibn al-Baytār (d. 1248), who botanized across a large part of al-Andalus, Africa and the Near East, before spending his last days in Damascus. His great encyclopaedia provides an alphabetical listing of about one thousand four hundred medicines of vegetable and mineral origin, a figure that surpassed by far the number of remedies known to the ancients. His work had a powerful influence in Renaissance times and posed some problems at the time it was written, for it was in roughly the same period that general medical clinics and, subsequently, fully-fledged hospitals were first instituted in al-Andalus – about a century prior to what is commonly admitted.

The first hospital of Islam was apparently founded under Persian influence by the caliph, Wālid I (705-715), assuming it was not actually a leprosarium or leper colony set aside for people affected by the disease, such as the *Rabaḍ al-marḍā* of Cordova, which came into existence some years later. These institutions multiplied in number in the East from the 9th century onwards and the ʿaḍūdī hospital, inaugurated at Baghdad in 982, was staffed by eighty physicians in different specializations who likewise performed teaching functions. By that time special wards catering for different diseases had been organized. They included a section for schizophrenics, which soon acquired greater importance and became a separate hospital or asylum for the mentally deranged and, in special instances of clemency, for political dissidents that were passed off as lunatics (as in the case of the greatest of all Arab poets, al-Mutanabbī). The Andalusians knew of the existence of such institutions during the period of the caliphate, although they did not themselves make use of them. It was only in the Almohad era that they were apparently introduced in the Maghreb and al-Andalus, despite the fact that references by Arab historians only date back as far as the 14th century, during the reign of Muḥammad V of Granada.

However, the Catalan monk, Raimón Martí (d. 1284), had already included in his Arabic-Latin dictionary words such as *māristān* ("hospital", in Persian), opium, *banj* (narcotic), etc. We also know that a doctor from Damascus, Ibn Dakhwār (d. 1230), relieved outbreaks of fits among the insane with opium, instead of securing them with chains and shackles and beating them. He was also apparently capable of distinguishing between maniacs and schizophrenics. Another related fact was that, as from 1260, Barcelona had a consulate in Damascus, so that there is reason to assume the King of Aragon's subjects must have been aware of what was happening in Syria, while Catalan merchants must have been instrumental in introducing the drugs mentioned by Raimón Martí into the West.

One sense of the word "hospital" in the Romance languages should necessarily be discarded in subsequent times – that of an "inn". It dates from the Roman period and, if anyone chanced to fall ill in any such establishment, they were not encouraged to stay on any longer than was absolutely necessary. The current meaning of hospital made its way into the language in the 13th century, and in the 15th century it was similarly applied to mental asylums.

A number of independent documents appear to confirm that hospitals were available in the Levant prior to their institution in Granada. One such document from Valencia cathedral, dated 1272, bequeathes two beds to the Hospital of San Vicente – one for the men's ward and the other for the women's. What is likewise known is that, just as in the East, the doctors did not sleep in the hospitals but only went there on their rounds in the morning and evening. Another document relates that, after his conquest of Valencia (1238), James I commissioned the founding of a hospital. These were already in existence in this city on the river Turia and the king in question must actually have ordered a preexistent Almohad hospital to be restored. While these institutions were subsequently springing up in the kingdom of Aragon, the sovereigns gave orders for hospitalization to be provided free of charge and, around 1375, Barcelona already boasted a house where the "orats" or schizophrenics were locked away, chained and shackled.

The African invasions brought no new art form to al-Andalus. Instead, it was Andalusian art that was taken to Africa when ʿAlī ibn Yūsuf shipped some of the best Andalusian craftsmen across the Strait of Gibraltar. The works of art they executed there are outstanding for the balance they strike between a sense of caliphal order and ṭā'ifah exhuberance.

The puritanism of the Almohads did, however, lead them to erect great buildings. They had available highly consistent materials and the style imposed laid more stress on architecture than decoration. During their cominion, some Almoravid buildings were destroyed, while the wealth and sumptuousness of the remaining ones – so dear to their predecessors – were covered over, as witnessed in the *Qayrawiyyin*. The sultan, ʿAbd al-Mu'min, was the one who chiefly encouraged these new lines, as can be seen in the *Kutubiyyah* and at Tinmel, where the reigning discretion and austerity contrast with the lavishness characteristic of Hispano-Moslem monuments. The Andalusian craftsmen managed to resolve this problem – in the face of caliphal authority and the exhuberance of the Aljafería, the Almohad style was heightened by the large empty spaces around the capitals and the floral motifs spaced out in the form of bouquets. This technique greatly enhanced the perfection of line and greater care was required in the design, which stands out starkly against the bare surfaces. The main feature of Almohad art was thus austerity. The Giralda in Seville is a prime exponent of this style, although it is more richly decorated than its counterparts in North African architecture.

Literature first came to the fore in the Levant, where Ibn Khafāja of Alcira and his nephew, Ibn al-Zaqqāq, were the main writers of floral poetry. Poetry did, however, gradually fall into decline during the Almohad period in which only a few notable poets are worthy of mention, incluiding Abu Jaʿfār ibn Saʿīd and his lover, Ḥafṣa bint al-Ḥājj. Likewise the Islamicized Jew, Ibn Sahl (d. 1260) who, on his own admission, was celebrated for bearing the brunt of two misfortunes – being a Jew and being in love.

But, side by side with classical poetry, another popular form born of the contact between Mozarabs and Moslems then emerged. Dispensing with the highly complex problem of how this lyric came about in the 10th century, it is sufficient to merely point out that one of its characteristics was its refrain in the Romance language, now the earliest example of Spanish lyrical poetry. Many Andalusian authors cultivated both the classical genre and the popular form in its two variants: the *muwashshaḥ* and the *Zejel*. The leading poet of this type was Ibn Quzmān (d. 1160) who, despite holding the pompous title of vizier, lived in an area in which this word was drifting towards its current meaning *alguazil* (an officer of law). The zejel was apparently invented by Avempace, who used a mixture of Romance and Arabic words throughout the whole composition. This genre, which was designed to be sung, was perfected by Ibn Quzmān and is nowadays still employed as a form of political criticism in the East.

THE NASRID KINGDOM OF GRANADA

From the moment Muḥammad I al-Aḥmar came to power in the kingdom of Granada (1231), his policies and those of his successors were centred on maintaining a precarious balance between three powers – Castile, Aragon and Morocco. The first of them was propitiated by regular payments of the tribute which, as vassals, was due to their masters. Aragon, which had put an end to the protectorate of Menorca by annexing the island to the crown in 1286, was assuaged by the offer of an alliance that guaranteed its trade interests and non-intervention in Crevillente, a vassal state of the Crown of Aragon.

The most difficult agreement had to be struck with Morocco which, under the hegemony of the Banū Marīns, displayed eagerness to once more set foot in the Peninsula. The accord finally materialized, despite the fleeting occupation of Ceuta in 1306 by forces from Granada, who were well aware that whenever an African army had landed in al-Andalus to aid its coreligionists it had ended up subjecting them.

Despite this overall trend in the politics of Granada, the first half of the 14th century saw more than one reversal of these alliances. Meanwhile, the struggle for dominion over the Strait and hostilities such as the occupation of strongholds and, above all, the Almería crusade of 1309, were events of a more spectacular than effective nature. Finally, in 1340, the Hispano-Moroccan armies clashed with the Castilians of Alfonso XI at the battle of Salado. With Alfonso's victory, the African peril to the Peninsula was permanently overcome and, although the Banū Marīns retained strongholds there for some time, their military contribution was limited to a type of foreign legion. The latter, under the name of "Volunteers for the Faith" (the *mujāhidūn,* nowadays termed the "mujāhidīn", several variations on this word being a feature of newspapers), served the sultans of Granada well.

The 15th century ushered in the last period of cultural splendour for Islam in al-Andalus. The Nasrids or Banū al-Aḥmar were lords over a unanimously homogeneous Moslem state, having eliminated one minority after the other in former periods. They thus had no further concerns than to consolidate their forces by transforming popular faith into a political weapon. Frontier fortresses or *rābitas* sprang up everywhere; the Marabouts expressed increasingly greater portents each day; the Malikite faqihs adopted ever more extreme positions, and xenophobic, anti-Christian feeling intensified.

The success of this policy among the common people had little echo among the Arab aristocracy, which had grown restless and engaged in continual strife among themselves and with the sovereign himself. The uprising of the Banū Ashqiliula (Escayuelas) and clashes between the Zegries and Abencerrajes were the order of the day, rendering any attempt at common defence useless whenever the Christians embarked on incursions into the territory. Antequera fell into Christian hands in 1410; they were victorious at the battle of Higueruela in 1413 and in 1462 their forces recovered Gibraltar. These sporadic raids turned into full-scale war from the moment the Catholic Kings came to the throne. After ten years of hostilities and Machiavellian political manoeuvering among the various factions in Granada (1481-1492), they finally persuaded Boabdil (Abū ʿAbd Allāh) to hand over the capital of the kingdom, the only thing left to him.

The Catholic Kings succeeded in occupying the last bulwark of Islam in Spain at the very moment the Ottomans were setting out on their invasion of the Balkans to reach Vienna (1528) and advancing along the North African seaboard as far as Algeria. At the gates of Vienna they were stopped by the Emperor Charles V and in Morocco by the dynasty of the Sharīfs.

The Moslems who stayed on in Spain had to choose between continuing to publicly practise their religion – in which case they were referred to as *Mudejars* – or converting to Christianity, thus becoming the so-called *Moriscos*. Since the Christian world had no suitable legislation providing for the formers' status, the Koranic laws concerning dhimmis was, with few variants, applied to their case. This aroused reactions among the Christians, some of whom felt that the minority in question should not be allowed to remain within their frontiers since their status was not regulated by existing legislation, and also because they were representatives of the religion and people who had dominated the Peninsula for eight centuries.

For their part, the faqihs considered it a great sin for the Mudejars to agree to be vassals of a sovereign of different religion and despised them for it. In this respect the faqihs' *fatwā* ("Rulings") were somewhat more enlightened. But, whether the fundamentalists of either side liked it or not, the Mudejars were allowed to live unhindered for several centuries: it was no coincidence that the Castilian Kings prided themselves on their title as "sovereigns of the three religions" (Christian, Moslem and Jewish). During this peaceful period the Castilian and Aragonese communities set about cultivating their neglected cultures, gradually losing their knowledge of Arabic. Their literary productions were first written in the Castilian-Aragonese language although in Arabic script, and the literary body thus born was known as *aljamiado*. These contributions to Spanish culture were, however, virtually valueless since no attempt was made to incorporate the latest scientific advances made in the Kingdom of Granada.

Their position deteriorated when the Christian masses began to harrass the Jews, the upshot of this being that they came to believe that national unity demanded religious unity. The situation, which had originally been tolerable, deteriorated to such an extent that in 1502 the Mudejars from Granada were faced with the alternative of emigrating or accepting baptism. Most opted for the latter and their *habices* (tributes paid by the former Nasrid states to the Crown for the upkeep of mosques, charities and other works) were allocated to the churches. In 1525 the same criterion was applied to Mudejars in the rest of Spain. The mass of neophytes, made up of about four hundred thousand Moriscos, many of whom had been converted by force, were frowned upon by the ruling classes, except those living in the Levant who were the object of discriminatory measures and came under suspicion by the Inquisition.

This state of affairs, heightened by the crisis in the silk industry, which employed a large number of the former Kingdom of Granada's inhabitants, led to the formidable uprising of the Alpujarras. Once it had been put down, the Spanish authorities were faced with the issue of finding a lasting solution for a minority which, although wholly Spanish, appeared to defy any attempt at integration, even though some of its members, such as Alonso del Castillo, provided outstanding services at the court. The Moriscos, for their part, felt discriminated against and grew restless, goaded by the *fatwā* of religious leaders such as the one dictated by the mufty of Oran in 1536, which ruled that they could hardly continue living in a country where the Inquisition prevented them from practising their true religion publicly. Many of them then emigrated to North Africa, settling in towns there and enlisting in the Moroccan army. The finest units, which conquered the Niger basin, comprised Moriscos and renegades who took with them the spirit of Europeanism and the Renaissance, which was unfortunately not taken advantage of in Morocco and Tunisia.

When Philip III (1609-1610) ordered them to be expelled from Spain for political reasons – there was never a popular outcry against the Moriscos, as there was against the Jews – almost a quarter of a million people marched towards the courts in the Southern Mediterranean, expecting to receive assistance from their coreligionists. On the whole, their expectations were disappointed and they were not given a favourable reception, which led to their gathering together to form independent states, a move which met with little success.

Many nevertheless remained in the Peninsula and their lives were led in relative calm, as long as they were not discovered by the Inquisition. A simple example recalls the fate of the Ḥaddād family which, having been discovered in the Jalón valley, fled to the vicinity of Caspe, where they changed their Arabic name for its Castilian translation, Herrero. Again discovered, they escaped to Catalan speaking territory, where they again translated their name, this time to Ferrer. However, a surprise house check by the Inquisition gave the latter cause for charging them with being relapsed Christians. May we give credit to the fact that, having served their punishment, they recovered their lands and even today – all these vicissitudes of their ancestors now forgotten – continue to live among us?

We must of course assume this was not the only such documented case and that the Guzmanes, Gomares, Gomilas, Gasullas, Bujaldones, etc., many of whose surnames may be either of Arab or Christian origin, continue living in the Peninsula without such ancestry being clearly established, unless a detailed study of their genealogy were to be carried out, which would involve searching through the Inquisition's archives and notarial records for the relevant documentation.

Science in al-Andalus, and throughout the Peninsula, was still based on its Moorish roots during the 13th century, although it was swiftly translated into Latin and the Romance Languages by figures such as the Catalans Ramón Llull and Arnaldo de Vilanova and the Castilian king Alfonso X the Wise (1252-1284). The work of the latter was a faithful echo of Andalusian Islam's legacy. In scientific terms, the king was an Arab sage. The interest he professed for the East was replaced, on his death, by a shift in attention to the West and cultural exchanges between East and West became gradually more fruitful, although they no longer passed exclusively through Spain.

It was due to Alfonso X that most of the discoveries made in al-Andalus between the 11th and 12th centuries were transmitted to the West. He was responsible for compiling the *Books of Astronomical Knowledge* and for assembling the mathematical elements conveyed by Jābir ibn Aflaḥ which finally reached Regiomontanus, as well as introducing high-level trigonometry into the Christian world. He fostered collaboration between Mozarabs and Jews and set about copying and, wherever necessary, editing the Arabic manuscripts that the conquest undertaken by his father, Ferdinand III, had brought into his possession. Alongside the customary method of translation, involving a translator's two hands and eyes, the system of "four hands" was employed, particularly for Latin versions. This consisted of a Jew or Mozarab translating aloud into Castilian and a clergyman writing down what he heard in Latin.

At the same time, intellectuals from Granada emigrated to Africa Minor and the East and there are grounds for assuming they maintained the scientific ties that linked them to their colleagues that had remained in the West. It should also be remembered that Alfonso X, unlike other sovereigns, kept up frequent cultural exchanges with the Near East. In this respect it is worth pointing out that the Persian astronomer serving the Mongol dynasty of Il-Khan under Hülegü – Nasīr ad-Dīn Tūsī (d. 1264) – drew up astronomical tables between 1259 and 1272 and that the Alphonsine tables were drafted between 1263 and 1272. Even more edifying was the fact that at Marāgheh – where Naṣīr ad-Dīn carried out his observations – joint projects were undertaken between astronomers from Granada, China and other nations and that, during the same period, observations were made in Peking using practically the same instruments as those in Toledo and Marāgheh. Certain technical data indicate that the distance between Toledo and Peking was calculated to within a margin of error of under 500 kilometres. A 14th-century manuscript by Ho-chou, discovered in 1985 and now kept in the Chinese province of Kansu, contains numerical constants matching those in the *Alphonsine Tables*.

Further, certain mathematical problems – such as the (impossible) demonstration of Euclid's fifth postulate, problems regarding infinitesimals or the Ṭūsī-Copernicus-La Hire's lemma – which had been studied in the East, were, contrary to what had been thought until recently, likewise studied in Castile by Alfonso of Valladolid and Rabbi Abner (14th century). Similarly, the Eastern school of thought that postulated – in opposition to Aristotle – the existence of an infinite universe, was simultaneously present in the West and it was here that modern mathematical symbology was developed by Ibn al-Bannā' and al-Qalāṣadī. We also know about a number of eminent Nasrid astronomers, including Muḥammad ibn ar-Raqqām (1265-1315), Muḥammad ibn Arqam (d. 1269), the Ibn Bāṣō, father and son, and others.

Prominent in the field of alchemy was the Latin Geber (who should not be confused with Jābir ibn Ḥayyān nor Jābir ibn Aflaḥ), who was fully aware of the Arab discoveries and whose works include a description of how to obtain gold by cupellation from nitric acid, aqua regia, etc.

The physician and polyglot from Murcia, ar-Riqūṭī, was another outstanding figure. When his city was occupied by Alfonso X in 1266, the latter built him a *madrasah* (Islamic university) to simultaneously teach Moslems, Christians and Jews, showered him with honours and attempted to convert him to Christianity. Ar-Riqūṭī refused, and was later heard remarking among friends:

"Now I serve only one Lord and am unable to fulfil my duties to him. What would happen if I had to worship three (an allusion to the Holy Trinity), as is asked of me?" He was subsequently able to escape to Granada.

A large number of biographies of physicians from Granada have survived to the present, and the hospital of Granada was founded under Muḥammad V in 1356. A little earlier (1349), Yūsuf I had built the madrasah that can still be admired today. At the same time, the introduction of entrance examinations as a prerequisite for practising medicine acquired greater currency.

It was also in the 14th century that the Nasrid navy achieved technical perfection, and was accomplished in the practical use of compasses, quadrants and navigational charts that were so necesary for sailing in the open sea. These techniques, which were widely known among the 15th-century Christians, were to facilitate the commencement of the age of the great discoveries.

The architecture of the period remained faithful to its past, but lacked solidity. Stone became short in supply, and the use of brick and plaster increased. The larger buildings thus acquired greater slenderness as these new materials proved easier to manage and work. The isolation of the country at the time prevented the introduction of foreign elements and floral ornamentation was practically limited to a long, single or double palm leaf repeated continuously, and a type of oval, pointed pineapple. In inscriptions, both decorative and monetary, the Kufic script was abandoned in favour of italics. Polygonal stars became the leading decorative element, this motif being used profusely in all possible variations. The attempt at originality was lost in every fragment and everything was repeated ad infinitum, becoming highly monotonous. Exteriors were bare and austere, while intriors were overelaborate. The harmonious symphony of design was joined by that of colour: sculptures were stained red and dark blue; mosaics displayed intense polychromy, from whites to blues, greens, browns and violets, while carved wood was preferably coloured red, deep shades of blue, and gold.

Sculpted stone was no longer used on the slenderest buildings, except for some marbles, and by and large the predominant feature was decorative plaster used on a grand scale. The layout was typically Moorish – closed spaces with an interior patio surrounded by arcaded passages, with doors leading into the living quarters. Even gardens were almost invariably private property. A characteristic feature was the use of natural beauty in the location of buildings. Great lovers of landscape (this assertion was and still is a talking point), they managed to strike a harmonious balance between a good location, the beauty of the surroundings and the external structure of rooms.

The most important building was the Alhambra ("The Red"), built on the last of the Sierra Nevada foothills near the Darro. It continued the prevailing trend in Islamic countries, introduced into al-Andalus by an-Nāṣir with Medina Azara – that of acting as a government precinct. It contained the royal palace with living quarters for the entire court, the servants, slaves, craftsmen and others that responded directly to the king. The construction has not survived in its entirety. Work on the palace was most likely begun by the Jew, Samuel ibn Nagrella, in the 11th century. Some of the 13th-century buildings have since disappeared and most of those still standing date from the 14th. Started during the reign of Muḥammad al-Aḥmar, it was continued by his successors, particularly Muḥammad II al-Faqih. The enclosure is surrounded by strong, fortified walls and is flanked by several towers. This lends it the marked appearance of a fortress, thus enhancing the contrast struck when viewing the delicacy of its interior.

The precinct which may be termed royal in the strict sense comprises two courts set at right angles to each other – that of Comares and the Court of Lions – each one forming a palace. The third noteworthy block of buildings makes up the court of Machuca, which precedes the other two. Virtually all the structures were restored by the Christians and the only original building which has survived in its entirety is the Mexuar or Council Chamber which opens onto the Golden Room. On the other side of the Court of Machuca lies the palace of Comares, the work of Yūsuf I, containing a rectangular patio known as the Court of Myrtles on account of the large pond in the centre surrounded by myrtle. The north side leads onto the Hall of the Ambassadors and the Throne Room, which is reached via the "Sala de la Barca" with its lavish, coffered ceiling. The windows in the Hall of the Ambassadors afford a view of the Sultan's country home – the Generalife.

The Court of Comares includes the baths, located slightly below the palace level, and an adjoining so-called "Room of Beds", for resting after bathing. The Hall of the Lions is attributed to Muḥammad I and is so called on account of the figures of lions, dating from the period of the caliphate, which stand in the court. The four sides of the court are surrounded by arcades in sculpted plaster resting on slender marble columns, the façades featuring projecting templets. The centre of the court is taken up by a fountain in the form of a large marble basin supported by twelve, highly stylized lions sculpted in stone. Several rooms give onto this patio: to the north, the Hall of the Two Sisters, leading to the Lindaraja viewpoint; to the south, the Hall of the Abencerrajes; to the east, that of Justice, while the room on the west side disappeared during the 17th century. The Alhambra complex has an overall aerial feeling of delicateness, fragility and an exquisite dream-like quality, accompanied by an air of decadence.

The poetry of the Nasrid period was served by a large number of adepts, of which the most outstanding figure – above all due to the Castilian translation into verse of his elegy – was Abū al-Baqā' of Ronda (d. 1285). The above-mentioned work became so famous that it was subsequently interpolated with the names of the cities that the Moslems had progressively lost to the Christians. In his Castilian translation of the elegy, Valera imitated the structure of Jorge Manrique's *Coplas,* for which reason the latter have erroneusly been thought to precede these, here paraphrased in English:

When he rises to the summit,
Soon he descends for lorn
To the depths.

Woe to he who holds in esteem,
The time-worn deceit
That is this world!

What of Valencia and its orchards?
And of beautiful Murcia and Játiva?
And Jaén?

Dating from the same period are the verses of the mystic, ash-Shustarī, and those of Ibn al-Abbār and ʿAlī ibn Saʿīd (d. 1286), author of an anthology of poetry entitled *Book of the Champions' Flags,* translated and published by Emilio García Gómez (1942, 1981). Likewise prominent was Ibn al-Khaṭīb and his disciple and rival, Ibn Zamraq (d. 1394), whose verses, together with those of Ibn al-Jayyāb, were used to decorate the walls of the Alhambra. The former was likewise outstanding in the field of prose and was noted for the difficult, intricate style of his works (history, medicine, etc.) and the diplomatic letters he had to write when secretary of state.

ISLAM – SPAIN AND EUROPE

From the 13th century onwards, Spanish Christians gradually drew up an idealized account of history which is often far removed from reality. Such was the case, for example, in respect of the time the idea of the crusades was born, and the relative extent to which Moorish hegemony influenced our customs, etc. On the other hand, there are a number of tangible and well-documented facts which show that the history of Spain has depended in equal measure on both European and Islamic events, particularly those in Morocco. The defeat of Sebastian of Portugal at the battle of Alcazarquivir brought about the unification of the Peninsula and the ensuing political complexities, while the defeat at Aknoul, much later in history, led to the fall of the Second Republic. The endeavour to measure the implications of such events has given rise to two noteworthy and controversial works, one by Américo Castro, who chose to draw on literary sources, and another by Claudio Sánchez Albornoz, who set out mainly to refute the work of the former in the course of two weighty volumes. They likewise contain a constructive part in which the author combines principally literary elements contributed by Américo Castro with historical ones, for the purpose of demonstrating, in opposition to the latter, that the Islamic contribution to our way of life has been of little value.

Nevertheless, there is no doubt about the fact that Spain was the site of a meeting between two different civilizations, as attested in expressions such as "ojalá" ("God willing") and "ha tomado posesión de su casa" (literally; "he has taken possession of his house"), Castilian copies of Arabic expressions still in currency today. Moreover, the candidness with which the nobility mingled with the common folk, the lack of racial prejudice and, quite frequently, the importance of religion as a creative element in nationality (the most spirited Christian orders, the Dominicans, Jesuits and the Opus Dei, were founded by Spaniards) are other features that can be easily connected with the Moslem way of life. The same cannot be said for the purity of lineage, as conceived by the Sephardic Jews, since their subsequent assimilation by the Castilians worked to their detriment, the idea being taken over by Castile itself to enhance its concept of religious purity.

Further, certain culinary tastes – fondness for fried fish and the custom of savouring "tapas" (Spanish appetizers) and others – point to a common origin, while the large body of Arabic words (a few thousand) included in the *Diccionario de la Real Acade-*

mia ("Dictionary of the Royal Academy") shows to what extent our language became Arabized. Oliver Asín was responsible for drawing up a partial list of Arabisms ordered by subject matter.

"The military tactics they used were different from ours: they had *adalides* (scouts or group leaders), *alféreces* (second lieutenants), *alcaides* (governors); they carried *adarges* (targes), *alfanjes* (scimitars), *acicates* (spurs) and *aljabas* (quivers); they mounted *'a la jineta'* (with short stirrups and knees bent), launched surprise attacks and *algaras* ('raids') and staged *alardes* (riding displays). Different, too, were their administrative and legal organizations, which featured the *alcaide* (prision governor), *almojarife* (tax collector), *almotacén* (inspector of weights and measures), *zabalmedina* (Aragonese magistrate with civii and criminal jurisdiction), *albacea* (executor) and *alguacil*. Their trade was highly diverse and took place in *almonedas* (auction rooms), *almacenes* (department stores) and *albóndigas* (corn exchanges), while they set up *aduanas* (custom posts) and imposed *tarifas* (tariffs), *aranceles* (customs duties), *alcábalas* (sales taxes), *garramas* (royal tributes), *alfardas* (taxes paid by Moors and Jews), *azofras* (personal taxes) and *albaquíes* (debt balances). No less familiar to the Christians were the tasks compounding Moorish industrial life, particularly in the clothing sector: *albornoz* (bathrobe), *alquicel* (white woolen cape), *aljuba* (jubbah), *chupa* (a waistcoat) and *zaragüelles* (widelegged breeches); and textiles such as *alfombras* (carpets), *alcatifas* (rugs) and *almohadas* (pillows); drysaltery such as *albayalde* (white lead), *talco* (talc), *alcanfor* (camphor) and *solimán* (cosmetic based on mercury sublimates); metalwork items, including *zafras* (oil jars), *alcuzas* (cruets) and *acetres* (small buckets); items of carpentry – *tarima* (footstool), *taracea* (marquetry) – and of jewellery – *alhaja* (jewel), *abalorio* (glass bead), *ajorca* (bracelet), *alhaite* and *alcorcí* (a small jewel). Their arts, too, were new, although reduced to music and architecture. Instruments worth recalling include the *adufe* (a tambourine), *rabel* (rebec), lute, *ajabeba* (flute), *añafil* (a long trumpet), *albongue* (flageolet), *tambor* (drum), while the terms current in the practice of building included *alarifes* (builders), *albañiles* (masons), *ajimez* (mullioned window), *alféizar* (embrasure), *alcoba* (alcove), *zaguán* (lobby), *algorfa* (grain loft), *azotea* (roof terrace) and *acitara* (wall). In farming, techniques were introduced for perfecting old irrigation systems, new crops were planted and *acequias* (irrigation ditches), *aljibes* (cisterns), *arcaduces* (conduits) and *zanjas* (ditches) were built. Other constructions included *albercas* (reservoirs), *azudas* (diversion dams), *aceñas* (water-driven mills) and *norias* (water-wheels). They sowed alfalfa, *arroz* (rice), *azafrán* (saffron), *berenjenas* (aubergines), and picked *aceitunas* (olives), *albérchigos* (peaches) and *acerola* (haws). Pastoral life was likewise important and brings to mind *rabadán* (head shepherd), *gañán* (farmhand), *zagal* (shepherd's helper) and *reses* (livestock).

Despite all this, the influence which the Arab world had on the formation of present-day Spain did not penetrate the Hispanic substrate in a wholly lasting fashion. The Peninsula lacks that unitary Islamic patina that has so effortlessly covered the most varied peoples and the most divergent cultures, including Persians, Turks, Berbers, Hausas and Mongols. The Moslem advance followed the same pattern in al-Andalus as in the aforementioned countries but, once confronted by the Christian enemy – which was initially defeated but subsequently emerged victorious – it was only capable of leaving an indirect spiritual imprint on Spain, while influencing the latter directly from a material and cultural standpoint.

But the success of Islam in these last two respects was extraordinary, since it was through the Spanish Christians that the great technical and scientific discoveries were made known in Europe, and a great many Western scholars were to study in the reconquered Spain as from the 10th century. They were both numerous and varied in terms of their fields of interest, from clergymen who arrived to study precisely those doctrines they wished to combat, to alchemists, astrologers, philosophers, etc. They studied at all the leading cities in the Peninsula – Barcelona, Tarazona, Saragossa, Toledo, etc. and, in the latter, Gerard of Cremona carried out so many translations from Arabic into Latin that, for centuries, it was thought that all translations of this type were the work of a single School of Translators in Toledo. Research in the last sixty years has shown that this was not the case and that, whereas Toledo had the lion's share in such works, there were other cities that would have been a good match. It has also become evident that the translators of the time maintained close ties with one another, despite their working in different cities.

It was along this "Via Hispanica" that, apart from science, a number of Eastern apologues entered Europe, as did the thematic features that Dante assembled which, after clothing them in Tuscan garb, he turned into that splendid work known as the Divine Comedy. Moreover, other figures were to become inextricably absorbed into the Spanish literature of the Golden Age.

INDEX OF PHOTOGRAPHS

1. The port of Ceuta, from which all fleets destined to invade Spain used to set sail.

2. Africa, seen from Spain. A mere 13 kilometres – the frequently rough sea in the Strait of Gibraltar – separates Europe from Africa. The broom in the foreground is common in this area.

3. Tarifa, named after the first Moorish leader – Ṭārif – who in the year 710 made an incursion into Spanish territory, overwhelming the weak Visigothic defences.

4. The Rock of Gibraltar, where Ṭāriq ibn Ziyād landed in 711 and began his conquest of the Peninsula.

5. Inscription dating from 960 A.D. commemorating the restoration of Tarifa castle.

6. Algeciras – "The Green Isle" – opposite the Rock of Gibraltar, where Ṭāriq ibn Ziyād assembled his troops before setting forth to conquer Spain.

7-10. The decisive battle between the invading troops and the Visigoths led by King Roderick is thought to have taken place at one of these three sites: on the banks of the Guadalete river (8,9); beside the Barbate river (7), or near the La Janda lagoon (10).

11-16. After defeating King Roderick, the invading army occupied the major towns and lines of communication in Andalusia, such as Medina Sidonia (11), Zahara (12), Arcos de la Frontera (13) and Casares (14), until they reached the leading cities such as Ronda (15) and, above all, Málaga (16).

17-25. Málaga. The present state of the cityᶜs Moorish remains after being restored, with different levels belonging to the different periods. Prominent features are the Alcazaba ("citadel" – 17-22) and Gibralfaro Castle (23-25), the two connected by fortified walls. Located in a commanding position overlooking the harbour, the castle in its present form is the reconstruction undertaken by the Nasrid king, Yūsuf I (14th century). The Hispano-Arabic scholar of the 13th century, ash-Shaqundī, said of Málaga that it *fulfils the prospects of both land and sea, and its vineyards strech on forever... This city is so renowned for its delicious wine that Málaga wine has become proverbial.*

26. General view of Almería. Ash-Shaqundī tells us it is *a city that enjoys great fame and importance. Its inhabitants are even-tempered, their skin is smooth, their faces and customs contain great beauty, and they are upright in their behaviour and in friendship [...] Its beach is the cleanest, most open and most beautiful of all beaches... as is rightly said: 'I have stepped on ground whose pebbles are pearls, Its earth, musk, and its gardens, kings'.*

27. The Mosque of Marbella, built in our times under the patronage of king ᶜAbd al-ᶜAzīz as-Saᶜūd.

28-33. The geographical layout of Almería and the fortitude of its defenders made it a veritable vantage point, with a harbour that gave shelter to merchant vessels and the Moorish fleet. From here and from the harbour in Mallorca, the Moors held practically absolute sway over the Western Mediterranean until the end of the 11th century.

34-36. Contrasts between different landscapes in Almería, to some extent described by al-Idrīsī in the 12th century: *Almería is everywhere surrounded by clustered rocks and hard, pointed stones. No dust is to be found here, as if the earth had been forced through a sieve and its location ruled to be stone.*

37. When approaching Cordova, the semi-desert landscape of Almería gives way to the fertile Andalusian countryside, where castles rise atop the most rugged terrain, bearing witness to the inclemency of the war between Christians and the inhabitants of Granada in the late Middle Ages.

38. Cordova. An Arab poet wrote: *Cordova surpasses the other cities for four things; For its bridge over the Guadalquivir and for its mosque; These are the first two. The palace of az-Zahra the third, And science, the most important, the fourth.*

39. The Castle where the Catalonian troops of Counts Ramón Borrell III of Barcelona and Ermengol of Urgel defeated the Berbers of Sulaymān al-Mustaᶜīn in 1010.

40-54. Different aspects of the Mosque of Cordova, an authentic forest of columns supporting the naves which successive sovereigns added on to enlarge the complex as the city's population grew. The building that breaks the continuity of the complex (40) is the Christian cathedral that was encrusted on it in the 16th century. In contrast, the Court of Oranges (41) preserves the charm of the original construction. Among other things, Ibn Bashkuwāl said of the Mosque: *It measures 330 cubits in length, with a breadth, from east to west, of 250 cubits... the doors, both large and small, number 22... covered in carved brass... The columns, both large and small, number 1409... The minbar is made of the finest woods, such as ebony, sandalwood, cherry... The lamps in the mosque, not counting those above the doors, number 224... There are four large lamps hanging in the covered central hall, of which the largest hangs in the main gallery and is said to contain one thousand and fifty-four lights.* Abū Tammām Ghālib ibn Rubāḥ said of these lamps: *Look how the lamps shine at night through the panes of glass, and you will see that they burn as if they were the tongues of reptiles; they move from noon onwards and never cease to flicker.*

55. (From right to left and from above below) Caliph's ceramic jug (Cordova, Museo de la Excavación de Medina al-Zaḥrā'). 10th-century ceramic jug (do.). Gold jewellery (Instituto Valencia de Don Juan-Madrid). The Sultana Ṣubḥ's kist (do.).

56. Ceramic plate from Medina al-Zaḥrā' (Cordova). Bronze deer from Medina al-Zaḥrā' showing both flanks.

57. Marble tile used for toiletries (Instituto Valencia de Don Juan).

58. Caliph's bronze oil lamp from Medina al-Zaḥrā' (Instituto Valencia de Don Juan).

59. Copper bucket (Instituto Valencia de Don Juan).

60. Glazed ceramic from Medina al-Zaḥrā' (Archaeological Museum of Madrid).

61. 10th-century bronze deer from Cordova (Archaeological Museum of Madrid).

62-69. Medina Azahara (Madīnat az-Zahrā'). A Moorish writer tells us that, on her death, one of ʿAbd ar-Raḥmān III's slaves left a large sum of money in her will. After making sure that there were no Moslem prisoners of the Christians to be rescued, ʿAbd ar-Raḥmān allocated the inheritance to the building of a city, which he named after one of the favourite slaves – az-Zahrā'. The white city was built at the foot of a bill near Cordova and one day az-Zaḥrā' complained to the Caliph that the city looked like a white slave seated on a black slave's lap. ʿAbd ar-Raḥmān ordered almond trees to be planted all over the hill in order to cover its darkness when they blossomed.

70. Averroës (1125-1198). Statue of the Spaniard who, through his scientific and intellectual works, became the most influential figure in medieval and Renaissance thought.

71. Cordova. Epitaph of the Mozarab, Johannes Eximius (Romero de Torres Museum).

72. Cordova – waterwheel. The Valencian, Ibn al-Abbār (d. 1260), wrote of these machines:
By God! The waterwheel resembles A celestial sphere, although it raises no star.
It was placed beside the river by a hand that intended it
To gladden the soul while it toiled away.
It seems like a captive running free; Like a cloud that drinks in the sea and then sheds its waters.
Beloved of the eyes; as the garden is Its diner and it a cupbearer which does not drink.

73. The first independent emir, ʿAbd ar-Raḥmān I ad-Dākhil, recited the following to a palm tree in his garden: *You have grown on land in which you are a foreigner. You and I are one in our alienation and separation.*

74. *(From left to right and from above below)* Earthenware plate from Elvira (Archaeological Museum of Granada). 10th century ivory jar from Zamora (National Archaeological Museum, Madrid). Box from Palencia (National Archaeological Museum, Madrid). Brass brazier (Archaeological Museum, Madrid).

75. Arab celestial sphere built by Ibrāhīm ibn Sahl as-Sahlī (473/1081 – Instituto e Museo di Storia della Scienza, Florence).

76. Landscape near Cordova.

77. Almodóvar del Río. Castle built by the Moors and renovated by the Christians in the 14th century.

78. Remains of the castle at Baños de la Encina (Jaén), built in 986.

79. Jaén. In ash-Shaqundī's words: *The castle of the land of al-Andalus, because its crops are the most abundant, its warriors the most valiant, and she herself impregnable. The Christian armies set out to conquer her between one civil war and another, but they found her more distant than the Goat star and more inaccessible than the eggs of the Egyptian vulture. There live sages and poets, and she is called 'Jaén of silk', because many of the inhabitants in the countryside and towns breed silkworms.*

80. Arab baths at Jaén.

81. Almohad banner that fell into Christian hands at the battle of Las Navas de Tolosa in 1212 (Monastery of las Huelgas, Burgos). The poet, Ibn ad-Dabbāgh of Seville, wrote of this battle:
They tell me of so many! I see you lost in thought,
As if you were doing your accounts. And I reply: think of the causes
That brought about the battle at Las Navas.
In al-Andalus we have no refuge left, As the land is being occupied on all sides.

82. The castle of La Iruela.

83. Cazorla with its castle (Jaén).

84. Mérida, which staged repeated uprisings against the Umayyad emirs, who were forced to build an Alcazar (fortress) in 835 to subdue its inhabitants, most of whom were Mozarabs. Despite this, the rebellions continued until the end of the 9th century. The Roman bridge over the Guadiana was restored several times.

85. Roman bridge at Carmona (Seville).

86. Arab *Alcazaba* (citadel) at Carmona, beside the Roman and medieval walls.

87. Roman gate in Carmona.

88. General view of Seville, with the Cathedral and the tower of La Giralda in the foreground.

89. The keys of the city of Seville that were handed to Saint Ferdinand (Cathedral).

90. Saint Ferdinand's sepulchre, showing its Hebrew and Arabic inscriptions.

91. Detail of La Giralda.

92. The Court of Oranges in Seville provides access to the Cathedral, built over the remains of the early mosque.

93, 94. Seville, as seen from balconies in La Giralda.

95. The Court of the Hunt, in the Reales Alcázares of Seville. On the right, the façade of the palace of King Pedro.

96, 97, 101. The interior of the Alcázar of Seville reveals the predominance of Mudéjar ornamentation in a palace which was residence of Christian kings at the end of the Middle Ages.

98. The Court of the Maidens, Alcázar of Seville.

99. The Court of Plasterwork, Alcázar of Seville.

100. The Court of the Dolls, Alcázar of Seville.

102. The Ambassadors' Salon, Alcázar of Seville.

103. Dome of the Ambassadors' Salon, Alcázar of Seville.

104, 105. Gardens, Alcázar of Seville.

106. Puerta del Perdón (the Gate of Pardon), Seville.

107, 108. The layout of the streets in the old quarters of Seville has changed very little since Moorish times.

109. Fragment of *almaizar*, a light piece of woven cloth. (Instituto Valencia de Don Juan, Madrid).

110. The Torre del Oro ("Tower of Gold"), built in the Almohad period as an outpost to defend the city against possible attacks from the river.

111-114. Illustrations from the book entitled "The Uses of Animals" written in the 14th century by Ibn ad-Durayhim al-Mawṣulī (manuscript 898 at the Library of El Escorial).

115. Chess pieces of carved rock crystal (Episcopal Palace of Orense).

116. Illustrated Arabic manuscript showing human figures and recounting anecdotes from life on the pre-Islamic Arabian frontiers.

117. Manuscripts containing narratives based on the Old Testament, recognized in the Koran as a book revealed by God.

118. Page from the Spanish translation of the Tables, by al-Battānī, commissioned by the king, Alfonso X the Wise (National Library of Paris).

119. Castle of Los Agregadores of Aguazaderas, built in 1381, near El Coronil.

120. Moorish observation tower near the Montellano highway (Seville).

121. Cambrón Gate (Toledo).

122. Alcántara bridge (Toledo).

123. Astrolabe belonging to Ibrāhīm ibn Saʿīd as-Sahlí (Archaeological Museum of Madrid).

124. General view of Toledo.

125. Zamora – a 9th-century frontier town which the heterodox Moslems failed to sieze in their attempt to set up a base that would allow them to confront the emirs of Cordova or the Christians of the north.

126. Embroidery from the Ark of Saint Isidore, showing animal motifs with a marked Oriental influence (Museum of San Isidoro, León).

127. Monastery-castle of Calatrava la Nueva. Its resident warrior-monks helped to defend the newly conquered frontier, thus protecting Christian settlers who occupied the vacant lands further north. A number of small fortified outposts were manned for the purpose of sounding the alarm and giving the settlers enough time to take refuge behind the castle walls.

128. Remains of the Castle of Calatañazor. In its surrounding area, according to legend, Almanzor was defeated by a confederation of Christian kings. Writings which have recently come to light show that the Moslem leader, who was already ill when he undertook his final expedition, died from an intestinal disease.

129. Puente de Piedra (The Stone bridge) and the Basilica of Pilar, Zaragoza.

130-132. During the 11th century it was the capital of an important party kingdom (ṭā'ifah) – often allied to the ṭā'ifah of Lérida – whose princes wished to emulate the Umayyads by building a large palace, La Aljafería.

133. Pool and Polylobular arches in the northern Portico of the Aljafería, Zaragoza, 1065-1110.

134. Mixed line arches in the plasterwork of the oratorio of the Aljafería, Zaragoza.

135, 136. Plasterwork and dome of the oratorio of the Aljafería, Zaragoza.

137. Mudejar tower in Teruel, a city characterized by tbe large number of constructions built in this style.

138. (From left to right and from above below) A measure for liquids (c. 11 th century – Archaeological Museum, Zaragoza). Mid-10th-century jug. Arab oil lamp from about the year 1000. Caliphal pot. Vase from the ṭā'ifah period.

139. (From left to right and from above below) Floral adornment common in the 11 th-century (Archaeological Museum of Zaragoza). Ivory chest belonging to ʿAbd al-Malik (early 11th century) and detail of the same (Museum of Pamplona). Three details showing oriental influences on the Cathedral of Tudela.

140. Albarracín (Teruel) – capital of a Berber party kingdom in the 11th century.

141. Church of San Lorenzo, in Lleida, built on the former site of a mosque.

142. Baptistry at the palaeo-Christian Basilica of Barcelona, destroyed by Almanzor during his campaign of the year 885.

143. Wooden box with gilded silver veneer belonging to al-Ḥakam II (961-976, Girona Cathedral).

144, 145. Rete invented by Azarquiel of Toledo. It facilitated calculations which had originally required numerous astrolabe tables (Museum of the Academy of Sciences, Barcelona).

146. 15th-century Cordovan calendar, one of the items discovered recently in Vic cathedral (Barcelona).

147. (The first figure indicates the row; the second figure, the column) 1.1 & 2.1 – Dirhem belonging to ʿAbd ar-Raḥmān I (760). 1.2 & 2.2 – Obverse and reverse of a dirhem belonging to the same monarch. 1.3 & 2.3 – Obverse and reverse of a dirhem belonging to al-Ḥakam 1(813). 3.1 & 4.1 – Obverse and reverse of a 13th-century dobla. 3.2 & 4.2 – Obverse and reverse of a dinar belonging to Hishām II. 3.3 & 3.4 – Obverse and reverse of a gold mancus minted by the Jew, Bonhom of Barcelona. 4.3 – Silver dirhem. 4.4 – Gold dinar belonging to Almanzor.

148. Inscription commemorating the building works carried out by Jaʿfar in 960, probably in the mosque at Tortosa on the orders of ʿAbd ar-Raḥmān III.

149. The Almudena Tower (Tortosa).

150. Stone commemorating the Tortosa shipyards during the reign of ʿAbd ar-Raḥmān III (944) embedded in the exterior of the north wall at Tortosa cathedral.

151. Partial view of Tortosa.

152. Watchtower on the coast of Mallorca.

153, 154. Fresco depicting the conquest of Mallorca by James I, found in the Calle de Montcada in Barcelona (Museo de Arte de Cataluña).

155. Almudaina and Cathedral of Palma de Mallorca.

156-158. Details of the Almudaina (Mallorca).

159, 160. Map of the universe invented in the 11th century by the Toledan, ʿAlī ibn Khalaf. The example shown was built in Tāzā (Morocco) in 1327 and is housed in the Museum of the History of Science at Oxford.

161. Fragment of an astronomical manuscript dealing with eclipses.

162. Fragment of a manuscript containing a star catalogue (the names of the constellations are shown in red, while the names of their constituent stars appear below in black).

163. Arab nautical chart (c. 1330) housed in the Ambrosiana Library in Milan. Taken obliquely, the photograph distorts slightly the shape of the coastlines.

164. Játiva castle, where Moorish remains can still be found.

165. Torres de Serrano, the port built by James the Conqueror in 1238 to serve the city of Valencia, shortly after the Reconquest. The side towers were added on at a later stage.

166. Orange trees in "La Huerta" disctrict of Valencia. A tree held in great esteem by the Arabs, its praises were sung by many poets.

167. General view of Almuñecar, from where the old Alcazaba and castle of Moorish origin can be seen.

168. Bronzes from Elvira, near Granada, now housed in the Archaeological Museum.

169, 170. The former capital of a Naṣrid province.

171. Granada. The warm room in the Nogal bath house.

172. View of Guadix, the town of cave-dwellers that for some years vied with Granada as capital city of the Naṣrid kingdom.

173, 174. Cloak and sword thought to have belonged to Boabdil, now housed in the Museo del Ejército (Madrid).

175-177. Spherical astrolabe dating from 1480 and late 15th-century equatorial astrolabe preserved at the Museum of the History of Science in Oxford.

178, 179. A sexagenarian, the last Arab astronomical instrument, introduced into Europe via Spain in the mid-15th century (Museum of the History of Science, Oxford).

180. Above – Astrolabe belonging to Aḥmad ibn Muḥammad an-Naqqash (Saragossa, 1080). Below – Astrolabe belonging to as-Sahl an-Nisaburī (Hamā, 1299. Germanisches Nationalmuseums, Nürnberg).

181. Torquetum at the Hessesches Landesmuseum (Kassel, c. 1590).

182-185. Different views of Granada. Ash-Shaqundī described Granada as "the Damascus of al-Andalus". He remarked on the fact that its river flowed among the city's houses, baths, market places and gardens and that, in addition to having great sages and excellent poets, the city boasted such outstanding poetesses as Nazhūn al-Qalāʿiyya, Zaynab bint Ziyād and Ḥafṣa bint al-Ḥājj.

186-189. Alhambra – general view and details of the same.

190. Mozarab dome in the salon of the Abencerrajes, the Alhambra.

191, 192, 195. Details of the Alhambra.

193. Marble basin with zoomorphic decoration (Archaeological Museum of Granada).

194. Polychromed ceramic goblet typical of the Naṣrid period (Archaeological Museum of Granada).

196-198. Court of the Lions in the Alhambra. Twelve verses are carved on the basin in the centre. Here, as in the rest of the palace, Arabic calligrapby and poetry becomes an ornamental tool.

199. Details of the Alhambra.

200. Façade of the Comares palace, the Alhambra.

201. Façade of the Golden room, the Alhambra.

202, 203. Views of Granada from the Alhambra.

204. Interior of the Salon of the Two Sisters, the Alhambra.

205. The Tower of Comares and the Myrtle court, the Alhambra.

206. Crypt of the palace of Carlos V, the Alhambra.

207. The Alcazaba fort, the Alhambra.

208, 209. The gardens of the Generalife, tbe Nasrid sultans' leisure resort in summer.

210. Portico and archway at the gates of the Alhambra.

211. General view of the Alhambra.

212, 213. La Alpujarra, the last redoubt of the Mudejares and Moriscos in their resistance against the Christian forces of Philip II.